130 RECETTES

SANS GLUTEN

SANDRINE GIACOBETTI
avec la collaboration de Claire Pinson

130 RECETTES SANS GLUTEN

Préface du professeur Christophe Dupont

MARABOUT

REMERCIEMENTS

À ma fille Jeanne sans la patience et l'indulgence de laquelle ce recueil n'aurait pu exister

À mes deux garçons, Julien et Valentin, qui ont accepté les règles du régime de leur sœur

Au professeur Dupont dont le diagnostic de la maladie cœliaque de Jeanne aura mis un terme à plusieurs mois d'errance, de spécialistes en services hospitaliers

Et je dédie cet ouvrage à tous ceux qui doivent suivre un régime strict sans gluten et qui, je l'espère, trouveront leur bonheur gourmand dans ce livre de recettes

PRÉFACE

Le blé est une céréale introduite tardivement dans l'alimentation humaine puisque l'agriculture date de la fin de la dernière ère glaciaire, il y a près de 10 000 ans. Cette révolution de l'âge néolithique a eu lieu trois millions d'années après l'apparition du premier homme sur la Terre, et 100 000 ans après celle du premier Homo sapiens.

Les cultivateurs sélectionnèrent peu à peu les espèces et privilégièrent les céréales qui, pour constituer une pâte à pain, présentaient de meilleures capacités à s'agglutiner, qualité liée à la présence de gluten. C'est ainsi que l'agriculture, qui sédentarisa l'humanité, lui en fit payer le prix : une nouvelle maladie, l'intolérance au gluten, ou maladie cœliaque.

La maladie cœliaque est en effet une intolérance alimentaire à certains composants du gluten, c'est-à-dire à la masse protéique de consistance élastique qui reste du blé après extraction de l'amidon. Le gluten est en réalité un mélange de nombreuses protéines, les prolamines et les gluténines. Au cours de la maladie cœliaque, les composants toxiques sont constitués par certaines prolamines présentes en importantes quantités dans certaines céréales, comme le blé, l'épeautre, le kamut, le seigle ou l'orge.

L'intolérance au gluten est, à l'origine, un dysfonctionnement du système immunitaire qui aboutit à la destruction des villosités intestinales. Il ne s'agit pas à proprement parler d'une allergie alimentaire : il existe aussi de véritables allergies au blé, à l'orge ou au seigle, qui répondent à un mécanisme d'hypersensibilité, et qui n'entrent pas dans le cadre de la maladie cœliaque.

La pathologie possède deux pics de fréquence avec une révélation soit dans l'enfance – le plus souvent entre six mois et deux ans après l'introduction du gluten alimentaire –, soit à l'âge adulte – le plus souvent entre vingt et quarante ans. Les formes à révélation tardive – après soixante-cinq ans – ne sont cependant pas exceptionnelles.

S'il existe une nette prédisposition génétique, d'autres facteurs, probablement infectieux, viraux et/ou bactériens encore mal connus, interviennent dans le déclenchement de la maladie.

Chez l'enfant, le principal symptôme est la diarrhée, ainsi qu'un amaigrissement et un retard de la courbe de croissance. Chez l'adulte, les symptômes sont très variés, à type de constipation, de diarrhée, d'anémie, de fatigue chronique ou encore de dépression.

Le régime alimentaire de l'intolérant au gluten repose sur la suppression totale et définitive des aliments à base de blé (froment, épeautre, kamut), de seigle et d'orge. En théorie, ce régime paraît simple, mais, en pratique, son application est très contraignante dans la mesure où le gluten est présent dans de nombreux aliments ou produits alimentaires du commerce, sous des formes diverses.

Les aliments du commerce contenant du blé et qui sont les plus couramment utilisés sont la farine, les pains, les biscottes, les biscuits (salés et sucrés), les semoules, les pâtes alimentaires, les pâtisseries, les viennoiseries, les pâtes à tartes, la chapelure, etc. Le seigle est présent dans la farine, le pain et le pain d'épices, et l'orge dans l'orge perlée, l'orge mondée et le malt, c'est-à-dire la bière.

Le gluten est également présent dans de nombreux produits industriels. Le diagnostic de la maladie cœliaque est donc synonyme, pour le patient ou pour ses parents, de lecture systématique des étiquettes de composition. Des directives européennes récentes encadrent cet étiquetage. Le rôle du diététicien ou de la diététicienne habitués à expliquer les contraintes du régime sans gluten est alors primordial.

Les ingrédients et dénominations correspondant à la présence de gluten sont les « amidons » issus de céréales interdites, les « matières amylacées », les « amidons modifiés » non précisés, les « protéines végétales », les liants protéiniques végétaux, le malt, les « extraits » de malt, les agents anti-agglomérants – utilisés pour le conditionnement des figues et pâtes de fruits notamment –, et certains épaississants utilisés dans les produits allégés.

Les ingrédients et dénominations correspondant à l'absence de gluten sont les « amidons » issus des céréales autorisées, les « arômes » de malt, la fécule, les dextrines, le glucose, le glutamate, la gélatine, la lécithine, les épaississants (caroube, gomme de xanthane), les agents de texture (alginates, carraghénane) et tous les additifs notés E suivi de trois chiffres. Selon la récente législation européenne, les mentions « amidon », « amidon transformé » ou « amidon modifié » seules désignent des amidons ne contenant pas de gluten.

Le régime sans gluten doit être poursuivi en principe à vie, car la maladie est définitive. Toutefois, l'observation d'enfants cœliaques montre que l'évolution de cette maladie semble plus subtile qu'il n'y paraissait au début. La disparition de tout symptôme chez certains adultes suggère que la maladie pourrait disparaître chez certaines personnes, voire que plusieurs types de maladie cœliaque pourraient coexister. Chez l'enfant suivant un régime d'élimination du gluten, la tolérance aux écarts de régime est très variable. Un écart minime peut se traduire par des symptômes immédiats chez certains. Chez d'autres, l'absence de toute rechute clinique pour des écarts importants peut inciter l'enfant à reprendre à tort un régime normal, qui risque de le handicaper dans sa croissance ou sa capacité de résister aux efforts physiques ou intellectuels.

Quoi qu'il en soit, envisager un régime devant durer toute la vie doit demeurer la règle. Ce régime doit donc être adapté à notre sens gustatif, pour que l'enfant cœliaque découvre les goûts nouveaux comme tout enfant de son âge, pour que l'adulte garde le plaisir de manger, une des joies de la vie, pour que le sujet âgé, dont l'alimentation est parfois difficile, trouve, malgré les contraintes de l'exclusion du gluten, une saveur suffisante à ses repas.

Un livre de recettes pour un régime sans gluten est donc une bonne, une très bonne idée. Ces recettes font appel à toutes les ressources, telles, finalement, qu'elles se situaient avant le début de l'agriculture. Il s'y ajoute la variation des goûts que permet la grande diversité des épices et autres espèces dites tropicales. Elles doivent permettre à un enfant, un adulte et mieux encore à toute une famille de manger normalement ou presque, malgré la contrainte du retrait du blé, de l'orge et du seigle de l'alimentation.

Pr Christophe Dupont

INTRODUCTION

POURQUOI C'EST DIFFICILE ?

Disons-le simplement, vivre sans gluten est une épreuve quotidienne. Lorsque votre médecin vous apprend qu'un régime alimentaire va résoudre votre problème d'intolérance au gluten, vous vous en réjouissez... jusqu'à la première virée au supermarché, où vous tombez des nues en découvrant la quantité de produits qui vous sont désormais interdits parce qu'ils contiennent la protéine incriminée.

Quand elle n'apparaît pas en évidence sur les étiquettes (chapelure, farine de froment, etc.), c'est sournoisement qu'elle se manifeste, sous forme d'« amidon modifié » ou de « produits amylacés ». C'est alors toutes les étiquettes, du simple pot de moutarde à la banale tablette de chocolat, qu'il faut lire, déchiffrer, décoder ! Et voilà comment les moindres courses se transforment en véritable parcours du combattant.

Lorsque ma fille Jeanne a été diagnostiquée à deux ans et demi, âge auquel elle appréciait déjà une alimentation variée, il a fallu lui expliquer qu'elle ne pourrait plus manger ses biscuits préférés, qu'il lui faudrait également renoncer à entrer dans une boulangerie-pâtisserie, afficher sa différence à l'heure des anniversaires fêtés à l'école et décliner les invitations à déjeuner chez ses petits camarades... À l'âge où le conformisme est une règle absolue, il est toujours délicat bien que nécessaire de prévenir l'instituteur, les parents d'élèves, le personnel de cantine[1] que votre enfant est malade et qu'il devra suivre un régime alimentaire restrictif et contraignant. À peine entamée, la vie sociale de ma fille était donc déjà handicapée par ce régime plus lourd qu'il n'y paraît.

Quand le diagnostic est tombé, j'ai dans un premier temps aménagé un des placards de la cuisine pour n'y ranger que les produits sans gluten. Ce faisant, je cherchais à valoriser le régime de Jeanne sans pour autant revenir sur l'alimentation de ses deux grands frères, Julien et Valentin, qui n'étaient pas eux-mêmes cœliaques. Cela eut pour effet d'aiguiser leur curiosité, et bientôt

1. Sachez qu'il existe un document, à faire compléter par votre médecin traitant, le médecin scolaire, les parents et l'école, baptisé le projet d'accueil individualisé (PAI), qui permet de proposer à votre enfant un repas sans gluten élaboré par la cantine ou de déposer un repas préparé à la maison.

ils réclamaient les pâtes, céréales et biscuits réservés à leur petite sœur. Avec le consentement de tous, je décidai donc d'élargir le régime à toute la famille… Le plus difficile étant d'accepter sa différence, lorsque tout le monde se met au régime, cela devient plus simple.

Pourtant, lorsqu'on démarre un régime sans gluten, on s'aperçoit rapidement qu'il est presque impossible de le suivre en dehors de son cercle familial. Chez les amis, et même dans l'entourage le plus proche, on admet difficilement une remise en question aussi radicale de ses habitudes alimentaires, et les idées reçues restent tenaces. Du simple « Je suis allé acheter du bio pour ta fille » à l'inévitable « Il n'y a qu'un tout petit peu de farine dans ce gâteau », la tentation de minimiser la rigueur d'un tel régime fréquente régulièrement les malentendus, même les mieux intentionnés[2]… Il faut résister poliment mais fermement aux diktats culturels, c'est le prix à payer pour être en bonne santé !

Si Jeanne est aujourd'hui une belle jeune fille de dix-sept ans qui a eu une croissance normale, c'est grâce au régime strict sans gluten. Consciente des frustrations que devait provoquer sa nouvelle discipline alimentaire, j'ai imaginé au fil du temps des recettes simples et savoureuses que j'aimerais vous faire partager.

LA CLEF DU RÉGIME BIEN SUIVI : FAITES-VOUS PLAISIR !

Suivre un régime strict sans gluten bouscule des habitudes alimentaires souvent bien enracinées. Néanmoins, pour tenir sur la durée – bien souvent toute sa vie ! –, une seule règle s'impose, celle du plaisir. Et aujourd'hui, à l'heure où la variété et la qualité des produits sans gluten sont de plus en plus grandes, fini les sacrifices ! À partir de ces produits, on peut maintenant réaliser des plats et des menus qui n'ont rien de vulgaires ersatz. Ainsi, une bonne farine sans

2. Une astuce pour éviter les mauvaises surprises au moment des réunions familiales, notamment au moment des anniversaires : désignez une recette de gâteau apprécié par tous (souvent au chocolat !) et ne nécessitant pas de produits spécifiques, et communiquez-la à votre entourage ! Chacun pourra ainsi se régaler…

gluten permettra de préparer, par exemple, une pâte à pizza fraîche qui sera, certes, un peu moins élastique et plus friable que celle contenant du gluten, mais son goût n'aura rien à lui envier.

Pour les grandes vacances[3], prévoyez à l'avance vos quantités de farines, pâtes et biscuits car les boutiques spécialisées sont souvent dévalisées avant l'été. En cas de rupture de stock, remplacez la farine par la Maïzena, la fécule de pommes de terre, la crème de riz, que l'on trouve partout.

De manière plus générale, faites de vos recettes des plats d'exception et privilégiez toujours les produits de qualité : une bonne mozzarella, une viande fraîchement hachée et une sauce tomate bien relevée apporteront de la saveur à votre pizza. N'hésitez pas à vous lancer dans la préparation de pains qui se conservent plusieurs jours emballés dans un torchon. Pour vos gâteaux, sachez que l'on peut, la plupart du temps, remplacer la farine de froment par de la poudre d'amandes, de noix, de noisettes, de noix de coco, etc. Bref, variez votre alimentation et surtout prenez plaisir à manger : celui-ci est absolument nécessaire dans un pays comme le nôtre où la gastronomie est culturelle…

---

3. Pour associer tourisme et santé, sachez qu'il existe des destinations gastronomiques privilégiées pour les intolérants au gluten. L'Irlande en est une. La maladie y est très répandue et l'on trouve des produits sans gluten partout, y compris dans la plupart des restaurants qui proposent à la carte des plats adaptés. L'Italie est un autre paradis. La population de la botte ayant du mal à se passer de pâtes, il existe des préparations cuisinées sans gluten aux rayons surgelés des supermarchés.

PAINS, TARTES SALÉES
ET PIZZAS

PÂTE BRISÉE SANS GLUTEN

10 MINUTES

**EN FOND DE
TARTE 30 À
40 MINUTES**

INGRÉDIENTS POUR 500 G DE PÂTE ENVIRON

130 g de margarine (de préférence non hydrogénée)
ou de beurre frais
1 œuf entier
300 g de farine de sarrasin
2 cuillerées à soupe d'eau

Détaillez la margarine en parcelles. Cassez l'œuf dans un bol, battez-le à la fourchette ou avec un fouet.

Tamisez la farine, ajoutez-y 1 pincée de sel (ou 1 cuillerée à soupe de sucre en poudre pour une tarte sucrée), placez dans une jatte, creusez une fontaine, versez-y l'œuf battu, la margarine et l'eau. Pétrissez le tout à la main, formez une boule, enveloppez la pâte dans un torchon humide et laissez reposer au frais 1 heure.

Après ce temps, placez la pâte en boule sur une surface farinée à l'aide d'une farine sans gluten et abaissez-la au rouleau pour obtenir l'épaisseur que vous désirez. En fond de tarte, faites cuire 30 à 40 minutes.

VARIANTE

Vous pouvez aussi confectionner une pâte avec 150 g de farine de sarrasin et 150 g de farine spécifique sans gluten, comme la farine de quinoa.

PÂTE À TARTE LÉGÈRE
À LA FARINE DE MAÏS

10 MINUTES

EN FOND DE TARTE 30 À 40 MINUTES

INGRÉDIENTS POUR 300 G DE PÂTE ENVIRON

250 g de farine de maïs
8 cuillerées à soupe d'huile d'olive ou de tournesol
8 cuillerées à soupe d'eau

Versez la farine en fontaine dans une jatte. Ajoutez au centre 1 pincée de sel, l'huile et l'eau.

Mélangez et pétrissez à la main pour obtenir une boule bien ferme. Abaissez cette pâte au rouleau pour obtenir l'épaisseur que vous désirez.

En fond de tarte, faites cuire 30 à 40 minutes.

TARTE À L'OIGNON ET À LA CANNELLE

15 MINUTES

40 MINUTES

INGRÉDIENTS POUR 6 À 8 PERSONNES

1 pâte à tarte (voir page 19)
700 g d'oignons
1 poivron rouge
1 poivron vert
1 cuillerée à soupe d'huile d'olive
2 cuillerées à café de cannelle en poudre
2 cuillerées à soupe de miel de romarin
3 œufs
20 cl de crème fraîche

Préchauffez le four à 180 °C (thermostat 6).

Abaissez la pâte et placez-la dans un moule à tarte beurré ou garni de papier sulfurisé.

Pelez les oignons (réservez-en un pour la décoration) et hachez-les, lavez les poivrons et épépinez-les. Faites-les revenir ensemble à la poêle dans l'huile d'olive. Les oignons doivent devenir transparents et les poivrons fondants. En fin de cuisson, ajoutez la cannelle et le miel. Remuez. Prolongez la cuisson de 3 à 5 minutes.

Dans une jatte, battez les œufs, puis incorporez la crème fraîche. Salez et poivrez. Étalez les oignons et les poivrons sur le fond de tarte. Versez délicatement le contenu de la jatte et décorez de rondelles d'oignons.

Placez au four et faites cuire 40 minutes.

TARTE AUX CHAMPIGNONS ET AUX ÉCHALOTES

20 MINUTES

40 MINUTES

INGRÉDIENTS POUR 6 À 8 PERSONNES

1 pâte à tarte (voir page 19)

500 g de champignons de Paris frais ou 800 g de surgelés (ces derniers perdent beaucoup d'eau à la cuisson)

150 g de lardons fumés

3 échalotes

2 gousses d'ail

1 cuillerée à soupe d'huile d'olive

1 cuillerée à soupe de persil ciselé

3 œufs

20 cl de crème fraîche

50 g de gruyère râpé

Préchauffez le four à 180 °C (thermostat 6).

Abaissez la pâte et placez-la dans un moule à tarte beurré ou garni de papier sulfurisé.

Lavez et épluchez les champignons (ou décongelez-les). Détaillez-les en lamelles. Faites blanchir les lardons 2 minutes dans 1/2 litre d'eau bouillante. Égouttez-les et réservez-les. Pelez et hachez les échalotes, pelez et écrasez l'ail.

Dans une poêle, faites revenir ensemble les champignons et les échalotes à l'huile d'olive. Les champignons doivent devenir fondants et les échalotes transparentes. Ajoutez l'ail et le persil, faites cuire encore 1 minute en remuant constamment. Étalez cette préparation sur le fond de tarte avec les lardons.

Battez les œufs dans une jatte, ajoutez la crème fraîche et le gruyère, salez et poivrez. Battez encore, puis versez ce mélange sur les champignons.

Faites cuire 35 minutes et servez.

ATTENTION

Les lardons frais ou fumés vendus en sachets aux rayons frais contiennent parfois des « traces » de gluten.

TARTE À LA TOMATE ET AU BASILIC

20 MINUTES

33 MINUTES

INGRÉDIENTS POUR 6 À 8 PERSONNES

1 pâte à tarte (voir page 19)
8 tomates
100 g de fromage de chèvre
1 cuillerée à soupe d'huile d'olive
1 oignon
4 gousses d'ail
20 feuilles de basilic
1 œuf
15 cl de crème fraîche

Préchauffez le four à 200 °C (thermostat 7).

Abaissez la pâte et placez-la dans un moule à tarte beurré ou garni de papier sulfurisé.

Lavez les tomates, essuyez-les, détaillez-les en tranches. Mettez-les entre deux feuilles de papier absorbant pour retenir le trop-plein d'eau. Quand elles sont bien égouttées, étalez-les sur le fond de tarte. Parsemez de fromage de chèvre écrasé à la fourchette.

Dans une poêle, faites revenir à l'huile d'olive l'oignon pelé et haché, les gousses d'ail pelées et écrasées et les feuilles de basilic pendant 3 minutes environ. Placez le tout sur le fromage de chèvre.

Battez l'œuf dans une jatte, incorporez la crème fraîche, salez et poivrez. Versez la préparation sur la tarte. Versez un filet d'huile d'olive sur la tarte et placez au four 30 minutes.

QUICHE SANS PÂTE

15 MINUTES

35 MINUTES

INGRÉDIENTS POUR 6 PERSONNES

1 botte de blettes
25 cl de crème fraîche épaisse
2 œufs entiers + 2 jaunes
125 g de comté fruité
noix de muscade

Préchauffez le four à 180 °C (thermostat 6).

Retirez les côtes des blettes. Lavez et essuyez délicatement les feuilles.

Huilez un moule à tarte et tapissez-le de papier sulfurisé. Installez les feuilles de blettes bien à plat en les faisant se chevaucher légèrement.

Dans un bol, mélangez la crème avec les œufs et les jaunes d'œufs que vous ajouterez un à un, incorporez le fromage râpé et 1 ou 2 pincées de noix de muscade, salez et poivrez. Versez la préparation dans le moule.

Mettez au four 35 minutes, jusqu'à ce que la quiche soit bien dorée. Servez chaud ou froid.

PÂTE À PIZZA

15 MINUTES

20 MINUTES

INGRÉDIENTS POUR 1 PÂTE À PIZZA

300 g de Maïzena
15 g de levure fraîche de boulanger
1,5 dl d'huile d'olive
1 dl d'eau tiède

Préchauffez le four à 240 °C (thermostat 9).

Mettez tous les ingrédients dans une jatte, ajoutez 1/2 cuillerée à café de sel et mélangez afin d'obtenir une pâte homogène et non collante.

Abaissez-la au rouleau, puis piquez-la avec une fourchette. Garnissez avec les éléments de votre choix.

Placez au four 15 minutes environ et servez.

VARIANTE

Il existe des farines préparées sans gluten pour élaborer vous-même vos pizzas.

CAKE SALÉ
AUX DÉS DE JAMBON ET DE FETA

10 MINUTES

45 MINUTES

INGRÉDIENTS POUR 6 PERSONNES

170 g de farine de quinoa

3 œufs

3 cuillerées à soupe d'huile d'olive

15 cl de lait entier

100 g de jambon blanc en dés

150 g de feta en dés

70 g de gruyère râpé

8 feuilles de basilic frais

20 brins de ciboulette

Préchauffez le four à 180 °C (thermostat 6).

Placez la farine de quinoa en fontaine dans une jatte. Ajoutez au centre les œufs entiers, l'huile d'olive et le lait, puis mélangez. Incorporez ensuite les autres ingrédients : le jambon blanc, la feta, le gruyère râpé, le basilic haché et la ciboulette ciselée. Salez et poivrez. Mélangez à nouveau.

Versez la pâte dans un moule à cake antiadhésif, puis enfournez pour 45 minutes.

Sortez du four, patientez 15 minutes, puis démoulez sur une grille.

CAKE AU THON
ET AUX ÉPINARDS

15 MINUTES

40 MINUTES

INGRÉDIENTS POUR 6 PERSONNES

3 œufs
150 g de Maïzena
10 cl de lait entier
50 g de beurre frais
1 grande boîte de thon au naturel (140 g égouttés)
8 grandes feuilles d'épinards
1 oignon
1 cuillerée à soupe d'huile d'olive

Préchauffez le four à 180 °C (thermostat 6).

Dans une jatte, battez les œufs en omelette. Ajoutez la Maïzena progressivement pour ne pas faire de grumeaux. Versez le lait et incorporez le beurre détaillé en petites parcelles.

Émiettez le thon à la fourchette avant de l'ajouter dans la jatte. Lavez les feuilles d'épinards, débarrassez-les de leur nervure centrale et hachez-les grossièrement.

Faites revenir à la poêle les épinards et l'oignon pelé et haché dans l'huile d'olive. Quand l'oignon devient transparent, transférez le mélange dans la jatte. Salez et poivrez.

Versez le tout dans un moule à cake antiadhésif ou dans un moule huilé et fariné avec de la Maïzena. Enfournez et cuire pendant 40 minutes.

CAKE AUX COURGETTES ET AUX PETITS POIS

10 MINUTES

41 MINUTES

INGRÉDIENTS POUR 6 PERSONNES

2 courgettes
100 g de petits pois frais ou surgelés
4 œufs
50 g de parmesan râpé
2 cuillerées à soupe d'huile de tournesol
1/2 cuillerée de noix de muscade râpée
200 g de farine de riz

Préchauffez le four à 210 °C (thermostat 7).

Pelez les courgettes, détaillez-les en dés, puis faites-les blanchir 1 minute dans l'eau bouillante. Égouttez-les bien et mettez-les sur du papier absorbant pour éliminer l'eau en excès. Décongelez les petits pois si nécessaire.

Dans une jatte, battez les œufs en omelette. Ajoutez le parmesan, l'huile et la noix de muscade, salez et poivrez. Incorporez progressivement 200 g de farine de riz, puis les dés de courgette et les petits pois. Mélangez le tout pour obtenir une préparation homogène.

Versez dans un moule à cake antiadhésif, puis faites cuire 40 minutes au four. Servez tiède ou froid, avec une sauce tomate.

ATTENTION

Le gluten entre dans la composition de certaines sauces tomate. Il faut donc vous assurer que celle que vous achetez n'en contient pas.

KARANTITA
(pain à la farine de pois chiches)

5 MINUTES

**LAISSEZ
REPOSER
AU MOINS
6 HEURES +
1 HEURE**

INGRÉDIENTS POUR 1 PAIN

250 g de farine de pois chiches
1,5 litre d'eau
2 cuillerées à café de cumin en poudre
10 cl d'huile

Mettez tous les ingrédients dans une jatte et ajoutez 1 cuillerée à café de sel. Pétrissez à la main et formez une boule.

Laissez reposer 6 heures au moins. À l'issue de ce temps, préchauffez votre four à 180 °C (thermostat 6).

Placez la pâte dans un moule plat et rond huilé. Faites cuire 1 heure environ. La karantita doit être dorée et ne pas excéder une épaisseur de 2,5 cm.

Servez tiède ou froid, avec de la harissa ou de la purée de piment doux.

PAIN DE SEMOULE AU SÉSAME GRILLÉ

15 MINUTES

**20 MINUTES +
LAISSEZ
REPOSER
40 MINUTES**

INGRÉDIENTS POUR 1 PAIN

30 g de levure de boulanger

7,5 cl d'eau tiède

500 g de semoule de maïs

1 cuillerée à soupe de graines de cumin

2 cuillerées à soupe de graines de sésame grillées

2 cuillerées à soupe de Maïzena

7,5 cl d'huile d'olive

1 œuf + 1 jaune

2 cuillerées à soupe de Maïzena

Dans une jatte, diluez la levure dans l'eau tiède et laissez gonfler.

Dans un saladier, mettez la semoule, 1 pincée de sel, le cumin et les graines de sésame. Ajoutez l'huile et mélangez pour obtenir une préparation ressemblant à du sable mouillé.

Ajoutez l'œuf et le jaune d'œuf, la Maïzena, puis la levure pour obtenir un mélange homogène. Pétrissez la pâte pour qu'elle prenne une consistance souple. Formez une boule que vous laisserez reposer 20 minutes.

Après ce temps, pétrissez à nouveau la pâte et aplatissez-la jusqu'à 4 cm environ. Placez dans un moule rond. Préchauffez le four à 180 °C (thermostat 6).

Laissez reposer 20 minutes encore.

Dorez au jaune d'œuf. Faites cuire 20 minutes et servez tiède ou froid.

FOUGASSE LARDONS-OLIVES

20 MINUTES

**LAISSEZ
REPOSER
1 H 50 +
20 MINUTES**

INGRÉDIENTS POUR 4 PERSONNES (2 FOUGASSES)

25 g de levure de boulanger
3 cuillerées à soupe d'eau tiède + 25 cl d'eau
500 g de farine de maïs
50 cl de crème fraîche épaisse
100 g de lardons fumés
12 olives noires dénoyautées
1 petit oignon rouge
1 jaune d'œuf

Diluez la levure dans 3 cuillerées à soupe d'eau tiède. Laissez lever environ 20 minutes. Dans une jatte, disposez la farine de maïs en fontaine. Ajoutez 1 pincée de sel et la levure. Versez le reste d'eau et pétrissez jusqu'à obtention d'une pâte souple, non collante. Laissez lever 1 h 30 dans un endroit tiède, sous un linge humide.

Quand la pâte est levée, préchauffez le four à 180 °C (thermostat 6). Séparez la pâte en deux pâtons de même taille. Abaissez l'un d'eux au rouleau, comme pour faire une tarte. Badigeonnez-en la moitié de crème fraîche et répartissez dessus les lardons et les olives coupées en rondelles. Terminez par l'oignon haché.

Refermez le tout comme s'il s'agissait d'un chausson aux pommes. Entaillez la surface avec la pointe d'un couteau. Placez dans une tourtière et dorez au jaune d'œuf. Pratiquez de même pour la seconde fougasse. Placez au four 20 minutes.

ATTENTION

Les lardons frais ou fumés vendus en sachets aux rayons frais contiennent parfois des « traces » de gluten.

PAIN AUX NOIX
ET À LA FARINE DE CHÂTAIGNE

**30 MINUTES +
LAISSEZ
REPOSER
1 H 35**

40 MINUTES

INGRÉDIENTS POUR 1 PAIN

1 cube entier de levure de boulanger
30 cl d'eau tiède
500 g de farine de châtaigne
1 cuillerée à soupe d'huile d'olive
150 g de noix décortiquées et hachées grossièrement

Délayez la levure dans l'eau tiède. Laissez lever 20 minutes environ.

Après ce temps, mettez la farine de châtaigne dans une grande jatte avec l'huile d'olive, 1 pincée de sel et la levure délayée. Mélangez le tout avec une cuillère en bois, puis pétrissez à la main 15 minutes sur un plan de travail fariné (utilisez une farine sans gluten) pour obtenir une belle pâte souple.

Formez une boule que vous laisserez dans la jatte, recouverte d'un torchon humide. Laissez reposer 45 minutes.

Quand la pâte a bien gonflé, pétrissez-la à nouveau 5 à 10 minutes. Ajoutez les noix, puis formez une boule que vous laisserez gonfler encore 30 minutes dans un endroit tiède.

Préchauffez le four à 180 °C (thermostat 6).

Humectez la surface du pain avec un peu d'eau. Placez un bol d'eau à l'intérieur du four pour éviter que le pain ne se dessèche, puis faites cuire 40 minutes.

PETITS PAINS RONDS
À LA FARINE DE QUINOA
ET AUX DÉS DE COMTÉ

30 MINUTES

**LAISSEZ
REPOSER
2 H 05 +
45 MINUTES**

INGRÉDIENTS POUR 8 PETITS PAINS

20 g de levure de boulanger
25 cl d'eau tiède
400 g de farine de quinoa
50 g de comté en dés

Délayez la levure de boulanger dans 20 cl d'eau tiède. Laissez lever 20 minutes. Placez la farine dans une grande jatte, ajoutez la levure délayée et 1 pincée de sel, puis versez le reste d'eau tiède.

Pétrissez à la main pour obtenir une pâte souple et homogène qui ne colle pas. Formez une boule, couvrez et laissez reposer 1 heure dans un endroit tiède.

Retravaillez la pâte 5 minutes avant d'incorporer les dés de comté, puis formez 8 petits pains en boule. Déposez-les sur la plaque du four huilée. Laissez reposer encore 45 minutes. Préchauffez votre four 15 minutes avant d'enfourner.

Glissez la plaque au four, avec un bol d'eau pour que les petits pains ne se dessèchent pas.

Faites cuire 45 minutes. Servez tiède ou froid.

GALETTES À LA FARINE DE RIZ

**10 MINUTES +
LAISSEZ
REPOSER
1 HEURE**

INGRÉDIENTS POUR 4 PERSONNES

50 g de beurre
250 g de farine de riz
1 œuf
35 cl de lait
35 cl d'eau froide
1 cuillerée à soupe d'huile de tournesol

**30 MINUTES
ENVIRON**

Dans une petite casserole, faites fondre le beurre. Dans une grande jatte, mélangez la farine, l'œuf et le lait. Incorporez l'eau froide et le beurre fondu en mélangeant constamment avec un fouet manuel pour éviter les grumeaux. Laissez reposer 1 heure.

Pour la cuisson des galettes, graissez une crêpière à l'aide d'un pinceau recouvert d'huile de tournesol, versez une louche de pâte et faites cuire 1 à 2 minutes par face. Procédez de la même manière jusqu'à épuisement de la pâte.

Servez avec la garniture de votre choix : œuf, jambon, gruyère, tomates, oignons, etc.

NAAN
À LA FARINE DE SARRASIN

10 MINUTES

**LAISSEZ
REPOSER
2 H 20 +
5 MINUTES**

INGRÉDIENTS POUR 4 PERSONNES

10 g de levure de boulanger
eau tiède
500 g de farine de sarrasin
1/2 cuillerée à café de bicarbonate de soude
30 g de beurre + 10 g pour enduire les galettes
60 g de yaourt bulgare
1 cuillerée à soupe de graines de sésame grillées

Diluez la levure dans l'eau tiède. Laissez reposer 20 minutes.

Placez la farine de sarrasin en fontaine dans une grande jatte. Ajoutez 1 pincée de sel et le bicarbonate. Continuez avec les 30 g de beurre en petites parcelles, le yaourt et la levure. Versez encore un peu d'eau tiède.

Pétrissez à la main pour obtenir une pâte souple et lisse. Couvrez d'un linge humide et placez 2 heures dans un endroit tiède.

À l'issue de ce temps, préchauffez le four à 200 °C (thermostat 7). Pétrissez la pâte encore 5 minutes, formez des boulettes et abaissez-les au rouleau pour obtenir des galettes. Enduisez-les du beurre restant, saupoudrez de graines de sésame et faites cuire au four 5 minutes.

BESAN PUDA
(galette à la farine de pois chiches)

10 MINUTES

**4 MINUTES
PAR GALETTE**

INGRÉDIENTS POUR 8 GALETTES ENVIRON

200 g de farine de pois chiches
1 petit oignon
1 pincée de piment de Cayenne
1 cuillerée à soupe de coriandre fraîche hachée
1/2 cuillerée à café de cumin en poudre
1/2 cuillerée à café de curcuma en poudre
20 cl d'eau tiède
1 cuillerée à soupe d'huile de tournesol par galette

Mettez la farine de pois chiches dans une jatte. Ajoutez l'oignon pelé et haché, le piment de Cayenne, la coriandre, le cumin, le curcuma et 1 cuillerée à café d'eau tiède. Versez l'eau tiède et mélangez pour obtenir une pâte homogène.

Faites chauffer l'huile dans une poêle. Versez une louche de pâte que vous répartirez dans la poêle, comme une crêpe. Retournez la galette à mi-cuisson. Réservez au chaud, procédez de la même manière jusqu'à épuisement de la pâte. Servez aussitôt avec une sauce tomate maison.

AMUSE-BOUCHE
ET TAPAS

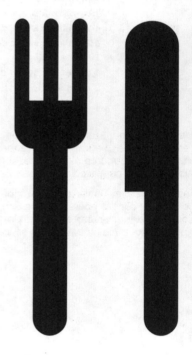

TEMPURA
DE FLEURS DE COURGETTES

INGRÉDIENTS POUR 4 PERSONNES

5 MINUTES

3 jaunes d'œufs
15 cl d'eau froide
150 g de farine sans gluten
3 glaçons
huile d'arachide pour la friture
12 fleurs de courgettes

15 MINUTES

Préparez la pâte à tempura : dans un saladier, fouettez 3 jaunes d'œufs avec l'eau froide, puis versez en pluie la farine en mélangeant avec une fourchette. Ne travaillez pas trop la pâte, qui doit garder une consistance grumeleuse. Ajoutez enfin les glaçons pilés grossièrement.

Faites chauffer l'huile pour la friture. Enrobez les fleurs de courgettes de pâte à tempura et faites-les dorer dans l'huile chaude. Égouttez-les sur un papier absorbant. Servez aussitôt.

TUILES DE PARMESAN

1 MINUTE

INGRÉDIENTS POUR 10 TUILES

120 g de parmesan fraîchement râpé
1 grosse cuillerée à soupe de farine sans gluten
beurre

3 MINUTES

Dans un bol, mélangez le parmesan et la farine avec les doigts.

Faites chauffer une poêle antiadhésive, graissez-la très légèrement avec 1 noix de beurre étalée avec du papier absorbant. Saupoudrez 1 grosse cuillerée à soupe du mélange parmesan-farine. Laissez chauffer 10 secondes, jusqu'à ce que le fromage commence à bouillonner, retirez la poêle du feu et glissez une spatule sous la tuile.

Déposez cette dernière sur un rouleau à pâtisserie pour lui donner sa forme. Attendez quelques secondes qu'elle durcisse et mettez-la sur une grille. Recommencez avec le reste de la préparation.

AUBERGINES GRILLÉES À LA FETA

5 MINUTES

15 MINUTES

INGRÉDIENTS POUR 4 PERSONNES

1 grosse aubergine
2 gousses d'ail
150 g de feta
huile d'olive

Préchauffez le four à 160 °C (thermostat 5).

Lavez l'aubergine, coupez-la en rondelles et placez ces dernières sur une grille allant au four. Pelez et écrasez l'ail. Saupoudrez-en les tranches d'aubergine. Placez sur chacune d'elles un cube de feta.

Arrosez d'un filet d'huile d'olive, salez et poivrez à votre goût.

Faites cuire 15 minutes au four en position gril. Disposez dans un plat et servez.

DÉS DE POMMES DE TERRE À L'AIL ET AU PAPRIKA

**10 MINUTES +
LAISSEZ AU
FRAIS 1 HEURE**

15 MINUTES

INGRÉDIENTS POUR 4 PERSONNES

400 g de pommes de terre à chair ferme
1 cuillerée à café de paprika
1 cuillerée à café de curcuma
1 gousse d'ail
1 cuillerée à soupe d'huile d'olive

Faites cuire les pommes de terre à la vapeur.

Pelez-les et découpez-les en dés. Mettez-les dans un saladier avec le paprika, le curcuma et l'ail pelé et écrasé. Arrosez d'huile d'olive. Salez et poivrez. Mélangez délicatement.

Réservez 1 heure au frais et servez.

BROCHETTES FRAÎCHEUR

20 MINUTES

PAS DE CUISSON

INGRÉDIENTS POUR 4 PERSONNES

16 tomates cerises
16 champignons de Paris frais
1 cuillerée à soupe d'huile de colza
1 cuillerée à soupe d'huile d'olive
16 olives noires dénoyautées
10 feuilles de basilic frais

Lavez les tomates cerises et coupez-les en deux. Lavez et épluchez les champignons.

Mélangez les deux huiles et le basilic haché dans une jatte. Salez et poivrez.

Enfilez sur des piques successivement 1/2 tomate cerise, 1 champignon, 1 olive noire et 1/2 tomate cerise, jusqu'à épuisement des ingrédients. Arrosez les brochettes avec le mélange d'huile et de basilic.

Présentez sur un plat de service.

TORTILLA AUX ÉPINARDS ET AU JAMBON

15 MINUTES

35 MINUTES

INGRÉDIENTS POUR 6 PERSONNES

2 tranches de jambon blanc
12 feuilles d'épinards frais
1 oignon
1 échalote
2 cuillerées à soupe d'huile d'olive
3 pommes de terre cuites
1 branche de persil ciselée
8 œufs

Préchauffez le four à 180 °C (thermostat 6).

Découpez le jambon blanc en dés. Lavez et épluchez les feuilles d'épinards, ciselez-les. Pelez et hachez l'oignon et l'échalote. Faites-les revenir à la poêle dans l'huile d'olive avant d'ajouter les pommes de terre en dés, les feuilles d'épinards ciselées et le persil. Salez et poivrez. Hors du feu, incorporez les œufs battus.

Huilez un moule à manqué et versez-y la préparation. Faites cuire 35 minutes au four, puis démoulez sur une grille et laissez refroidir.

Découpez la tortilla en dés, saupoudrez de paprika ou de noix de muscade et servez avec des piques.

POMMES DE TERRE
À LA TOMATE ET À LA SAUGE

15 MINUTES +
LAISSEZ AU
FRAIS 1 HEURE

15 MINUTES

INGRÉDIENTS POUR 4 PERSONNES

400 g de pommes de terre à chair ferme
2 tomates
1 branche de sauge
15 cl de crème fraîche
1 cuillerée à café de concentré de tomates
la pointe d'un couteau de piment de Cayenne

Faites cuire les pommes de terre à la vapeur. Pelez-les et détaillez-les en rondelles.

Placez-les dans un saladier avec les tomates lavées et coupées en dés, la sauge lavée et effeuillée, et la crème fraîche à laquelle vous aurez ajouté le concentré de tomates et le piment de Cayenne. Salez et poivrez.

Mélangez bien. Placez au frais 1 heure et servez avec des piques.

CHIPS DE PATATES DOUCES AU PAPRIKA

10 MINUTES

3 À 5 MINUTES

INGRÉDIENTS POUR 4 PERSONNES

500 g de patates douces
huile végétale pour la friture

Pelez les patates douces et coupez-les en tranches très fines. Lavez-les soigneusement sous l'eau pour éliminer un maximum d'amidon. Égouttez-les bien et épongez-les dans du papier absorbant.

Versez l'huile végétale dans une friteuse jusqu'au tiers de sa hauteur. Portez la température à 190 °C.

Faites frire les chips de patates douces en plusieurs fois, à raison de 30 secondes par portion. Elles doivent être croustillantes et dorées. Égouttez sur du papier absorbant, saupoudrez de sel et servez tiède ou froid.

PRUNEAUX
AU JAMBON DE PARME

20 MINUTES

INGRÉDIENTS POUR 4 PERSONNES

16 pruneaux
1 bol de thé chaud
16 lanières de jambon de Parme

5 À 10 MINUTES

Préchauffez le four en position gril.

Dénoyautez les pruneaux et faites-les gonfler dans le thé chaud pendant 20 minutes.

Enroulez-les dans une lanière de jambon de Parme. Maintenez avec un cure-dents.

Placez au four 5 à 10 minutes. Servez bien chaud.

PATATAS BRAVAS FACILES

10 MINUTES +
LAISSEZ AU
FRAIS 1 HEURE

15 MINUTES

INGRÉDIENTS POUR 4 PERSONNES

500 g de pommes de terre à chair ferme
100 g de mayonnaise maison
1 cuillerée à café bombée de concentré de tomates
4 gousses d'ail

Faites cuire les pommes de terre à la vapeur. Pelez-les et détaillez-les en cubes. Mettez-les dans un saladier.

Dans une jatte, mélangez la mayonnaise maison, le concentré de tomates et l'ail pelé et haché. Versez cette préparation sur les pommes de terre. Mélangez bien.

Placez au frais 1 heure et servez.

FEUILLES D'ENDIVES À LA CRÈME FRAÎCHE ET À LA CIBOULETTE

15 MINUTES

PAS DE CUISSON

INGRÉDIENTS POUR 4 PERSONNES

2 endives
15 cl de crème fraîche épaisse
20 brins de ciboulette
1 pincée de curcuma

Rincez les endives et essuyez-les soigneusement. Séparez les feuilles et coupez-les en deux dans la longueur (sauf les plus petites)

Dans une jatte, mélangez la crème fraîche, la ciboulette ciselée et le curcuma. Salez et poivrez. Placez 1 cuillerée à café de cette préparation sur chaque feuille d'endive.

Disposez sur un plat et servez.

DÉS DE COMTÉ AUX HERBES, AU CUMIN ET AU GINGEMBRE

**15 MINUTES +
LAISSEZ AU
FRAIS 1 HEURE**

PAS DE CUISSON

INGRÉDIENTS POUR 4 PERSONNES

100 g de comté
10 feuilles de coriandre
5 feuilles d'estragon
1/2 cuillerée à café de cumin moulu
1/2 cuillerée à soupe de racine de gingembre pelée et hachée
1 cuillerée à soupe d'huile d'argan ou d'huile d'amande douce vierge

Découpez le comté en dés. Placez-les dans un bol. Ajoutez la coriandre et l'estragon ciselés. Parsemez de cumin moulu et de gingembre haché. Arrosez d'huile, mélangez bien, salez et poivrez, puis remuez à nouveau.

Placez au frais 1 heure et servez.

DÉS D'ÉDAM MARINÉS AU CURRY, AU VINAIGRE BALSAMIQUE ET À L'HUILE D'OLIVE

10 MINUTES + LAISSEZ AU FRAIS 1 HEURE

PAS DE CUISSON

INGRÉDIENTS POUR 4 PERSONNES

100 g d'édam
1 cuillerée à café de curry en poudre
1 cuillerée à soupe de vinaigre balsamique
1 cuillerée à soupe d'huile d'olive
1 cuillerée à café de sauce de soja
1 gousse d'ail

Découpez l'édam en dés. Placez-les dans un bol. Ajoutez le curry, le vinaigre balsamique, l'huile d'olive, la sauce de soja et l'ail pelé et haché, salez et poivrez.

Placez au frais 1 heure au moins et servez avec des piques.

ATTENTION

La plupart des sauces de soja vendues dans le commerce contiennent du gluten sous forme de froment ou autre : il faut donc bien vérifier la composition de celle que vous achetez.

LAMELLES DE POIRES
AU FROMAGE DE CHÈVRE FRAIS

10 MINUTES

5 À 10 MINUTES

INGRÉDIENTS POUR 4 PERSONNES

12 mini-tranches de pain sans gluten
50 g de fromage de chèvre frais
2 poires
1 cuillerée à café de graines de sésame

Préchauffez le four à 180 °C (thermostat 6).

Tartinez le pain de fromage de chèvre. Lavez les poires et pelez-les. Épépinez-les. Découpez-les en lamelles d'environ 5 mm d'épaisseur et disposez-les sur les tranches de pain. Parsemez de graines de sésame, poivrez à votre goût et faites cuire 5 à 10 minutes au four.

ROULADES DE COURGETTES AU FROMAGE BLANC

20 MINUTES

PAS DE CUISSON

INGRÉDIENTS POUR 4 PERSONNES

2 courgettes
100 g de fromage blanc
10 brins de ciboulette
10 feuilles de basilic
1 gousse d'ail

Lavez les courgettes, essuyez-les et coupez-les en fines lamelles dans le sens de la longueur. Épongez soigneusement ces lamelles sur du papier absorbant.

Dans une jatte, mélangez le fromage blanc, la ciboulette et le basilic ciselés et l'ail haché. Salez et poivrez. Tartinez les lamelles de courgettes de cette préparation avant de les rouler sur elles-mêmes et fixez avec un cure-dents.

TOASTS DE MAÏS
AU SAUMON FUMÉ

15 MINUTES

PAS DE CUISSON

INGRÉDIENTS POUR 4 PERSONNES

16 petites tranches de pain de maïs ou tout autre pain sans gluten

2 belles tranches de saumon fumé ou 150 g de chutes

2 cuillerées à soupe de grains de maïs frais

1 branche d'aneth

Déposez sur chaque tranche de pain une petite tranche de saumon fumé. Décorez de grains de maïs et d'un brin d'aneth lavé. Poivrez à votre goût.

VARIANTE

On peut remplacer le maïs par 1/2 cuillerée à café d'œufs de lump ou associer les deux pour obtenir un joli effet de couleur.

GUACAMOLE

15 MINUTES

PAS DE CUISSON

INGRÉDIENTS POUR 6 PERSONNES

3 avocats mûrs
2 citrons verts
1/2 gousse d'ail
4 branches de coriandre fraîche
Tabasco

Épluchez les avocats, ouvrez-les pour retirer les noyaux (mettez-en un de côté), arrosez-les avec le jus d'un des citrons verts, puis écrasez la chair à la fourchette.

Versez le jus du second citron, ajoutez l'ail finement haché, salez et poivrez. Lavez et séchez la coriandre, hachez-la finement et ajoutez-la à l'avocat avec 2 gouttes de Tabasco.

Mettez le guacamole dans un bol et piquez le noyau réservé au centre pour éviter l'oxydation. Dégustez à l'apéritif avec des chips de maïs.

ATTENTION

Assurez-vous que vos chips de maïs sont « pur maïs ».

ENTRÉES

GÂTEAU DE COURGETTES

20 MINUTES

45 MINUTES

INGRÉDIENTS POUR 6 PERSONNES

1,5 kg de petites courgettes bien fermes
4 cuillerées à soupe d'huile d'olive
3 gousses d'ail pelées
1 bouquet de basilic
4 œufs entiers

Lavez et essuyez les courgettes. Coupez-en une en rondelles de 5 mm et les autres en cubes. Faites revenir les rondelles sur les deux faces dans une grande poêle antiadhésive avec la moitié de l'huile d'olive. Retirez-les et réservez-les sur un papier absorbant. Remplacez-les par les cubes de courgettes et l'huile restante.

Laissez cuire 20 minutes avec les gousses d'ail écrasées. Salez et poivrez.

Préchauffez le four à 180 °C (thermostat 6).

Égouttez les courgettes en cubes et mixez-les avec le basilic. Ajoutez les œufs un à un, rectifiez l'assaisonnement. Huilez légèrement un moule à gratin, étalez les rondelles de courgette dans le fond du plat et versez dessus la purée de courgettes.

Faites cuire au four au bain-marie pendant 45 minutes environ. Pour vérifier la cuisson, plongez la lame d'un couteau au centre du gâteau : elle doit ressortir propre.

SALADE DE CARPACCIO DE BŒUF CUIT MINUTE

15 MINUTES

2 MINUTES

INGRÉDIENTS POUR 6 PERSONNES

400 g de rumsteck de bœuf
1 cœur de frisée
2 poignées de roquette ou toute autre salade de votre choix
1 morceau de radis noir
1 oignon rouge
1/2 bouquet de persil plat
huile végétale
1 cuillerée à café de miel liquide

Pour la vinaigrette :
4 cuillerées à soupe d'huile d'olive
1 cuillerée à café de moutarde
1 cuillerée à soupe de vinaigre de Xérès

Placez la viande dans le congélateur 30 minutes avant de commencer pour la faire raffermir : vous pourrez ainsi la découper facilement en très fines lamelles.

Lavez les salades et essorez-les, pelez le radis noir et émincez-le, pelez l'oignon et coupez-le en petits dés, hachez finement le persil.

Préparez la vinaigrette en mélangeant tous les ingrédients dans un saladier, ajoutez les salades, le radis, l'oignon et le persil, puis remuez délicatement.

Faites chauffer un peu d'huile dans une grande poêle antiadhésive et saisissez à feu vif les lamelles de bœuf, 1 minute de chaque côté. Ajoutez le miel liquide, retirez du feu, salez et poivrez, puis remuez pour bien enrober tous les morceaux. Répartissez la salade sur les assiettes, placez la viande dessus et servez.

PETITS FLANS DE PARMESAN AU ROMARIN

10 MINUTES

30 MINUTES

INGRÉDIENTS POUR 4 PERSONNES

4 œufs + 2 jaunes
25 cl de crème fleurette
75 g de parmesan fraîchement râpé
3 gouttes d'huile essentielle de romarin
150 g de pousses d'épinards
1 cuillerée à soupe d'huile d'olive

Préchauffez le four à 150 °C (thermostat 5).

Battez rapidement les œufs entiers et les jaunes avec la crème fleurette et le parmesan. Salez très légèrement car le parmesan l'est déjà, poivrez, puis ajoutez l'huile essentielle de romarin.

Répartissez la préparation dans quatre ramequins, mettez ceux-ci dans un plat contenant de l'eau chaude, glissez au four et faites cuire 30 minutes au bain-marie.

Servez tiède avec les pousses d'épinards en salade, arrosées d'huile d'olive.

CÔTÉ BIEN-ÊTRE

L'huile essentielle de romarin a des propriétés stimulantes qui la font recommander aux personnes fatiguées physiquement et intellectuellement. On a dit également aphrodisiaque.

TABOULÉ DE QUINOA

**20 MINUTES
(À PRÉPARER
LA VEILLE)**

PAS DE CUISSON

INGRÉDIENTS POUR 4 PERSONNES

200 g de semoule de quinoa précuite
1 concombre
3 tomates bien mûres
1 poivron vert
1 oignon
le jus de 1 citron
5 cuillerées à soupe huile d'olive
10 feuilles de menthe

Placez la semoule dans une jatte. Ajoutez le concombre détaillé en tout petits dés. Faites de même avec les tomates et le poivron. Hachez l'oignon. Mélangez bien le tout, arrosez de jus de citron et d'huile d'olive. Incorporez la menthe lavée, essuyée et hachée, salez et poivrez.

Laissez reposer une nuit au frais avant de servir.

GALETTES DE SARRASIN AUX CHAMPIGNONS

20 MINUTES

6 À 8 MINUTES

INGRÉDIENTS POUR 3 À 4 PERSONNES

Pour la pâte :
150 g de farine de sarrasin
2 œufs
20 cl de lait entier
1 cuillerée à soupe d'huile végétale

Pour la garniture :
300 g de champignons de Paris
50 g de beurre
50 g de Maïzena
20 cl de lait entier
1/2 cuillerée à café de noix de muscade râpée

Préparez la pâte : dans un saladier, placez la farine en fontaine. Ajoutez les œufs et le lait. Mélangez progressivement pour ne pas former de grumeaux. Salez et poivrez.

Faites cuire les galettes dans une poêle avec l'huile.

Préparez la garniture : lavez et épluchez les champignons. Faites fondre le beurre dans une petite casserole. Ajoutez progressivement la Maïzena, puis le lait et la noix de muscade. Salez et poivrez. Saisissez dans l huile d'olive les champignons émincés avant de les ajouter à la béchamel.

Garnissez les galettes de cette préparation et servez sans attendre.

TOMATES FARCIES
À LA SEMOULE DE QUINOA

**20 MINUTES +
LAISSEZ AU
FRAIS 1 HEURE**

PAS DE CUISSON

INGRÉDIENTS POUR 4 PERSONNES

4 belles tomates
50 g de raisins secs
200 g de semoule de quinoa cuite
1/2 poivron rouge
3 cuillerées à soupe d'huile d'olive vierge
1 cuillerée à soupe de vinaigre aromatisé à l'échalote
1 petit oignon
2 gousses d'ail
1 pincée de piment de Cayenne
1 branche de persil
10 brins de ciboulette

Évidez les tomates et mettez de côté la chair pour une autre utilisation (coulis, sauce bolognaise…). Placez les raisins dans une tasse et couvrez-les totalement d'eau tiède. Laissez-les gonfler pendant quelques minutes.

Dans un saladier, mélangez la semoule de quinoa, les raisins égouttés et le poivron lavé, épépiné et coupé en dés. Mélangez dans une jatte l'huile, le vinaigre, l'oignon pelé et haché, l'ail pelé et écrasé, le piment de Cayenne, le persil et la ciboulette ciselés. Versez sur la semoule. Mélangez bien.

Farcissez les tomates avec la préparation, placez au frais 1 heure et servez.

SALADE DE RIZ COMPLET AUX OLIVES ET À LA FETA

20 MINUTES

se référer aux
instructions
figurant sur
l'emballage
pour le riz

INGRÉDIENTS POUR 4 PERSONNES

340 g de riz complet

2 tomates

10 olives noires dénoyautées

10 olives vertes dénoyautées

100 g de feta

20 feuilles de pourpier, de roquette ou de cresson

1 échalote

3 cuillerées à soupe d'huile d'olive

1 cuillerée à soupe de vinaigre de noix

1 pincée de paprika

Faites cuire le riz en vous référant aux instructions figurant sur l'emballage. Passez-le sous l'eau afin d'en retirer un maximum d'amidon et égouttez-le bien. Mettez-le dans un saladier.

Lavez les tomates et détaillez-les en dés. Taillez les olives en rondelles. Découpez la feta en dés. Lavez le pourpier (ou la roquette ou le cresson). Pelez et hachez l'échalote.

Placez le tout dans le saladier avec le riz. Remuez.

Mélangez dans un bol l'huile, le vinaigre et le paprika. Salez et poivrez. Versez cette sauce sur la salade, mélangez et servez.

SALADE DE MAÏS AUX HARICOTS ROUGES ET AUX GERMES DE SOJA

15 MINUTES

PAS DE CUISSON

INGRÉDIENTS POUR 4 PERSONNES

300 g de maïs doux en boîte
200 g de haricots rouges en boîte
100 g de germes de soja frais
quelques feuilles de laitue rouge
16 feuilles de coriandre
3 cuillerées à soupe d'huile d'arachide
1 cuillerée à café de moutarde à l'ancienne
1 cuillerée à soupe de vinaigre de vin

Rincez le maïs et les haricots rouges, égouttez-les. Placez-les dans un saladier. Ajoutez les germes de soja rincés et essuyés, la laitue rouge lavée et ciselée, la coriandre hachée (gardez-en 6 feuilles entières pour la décoration). Mélangez délicatement.

Dans une jatte, mélangez l'huile, la moutarde et le vinaigre de vin, salez et poivrez. Versez cette sauce sur la salade, mélangez bien, décorez de feuilles de coriandre et servez.

SALADE DE SOJA
AUX TROIS AGRUMES

20 MINUTES

se référer aux
instructions
figurant sur
l'emballage
pour les
haricots de soja

INGRÉDIENTS POUR 4 PERSONNES

300 g de haricots de soja (vendus en magasins bio ou
diététiques)
1 pamplemousse
2 oranges
1 cuillerée à soupe d'huile de colza
le jus de 1/2 citron vert
10 feuilles de menthe fraîche

Faites cuire les haricots de soja en suivant les instructions figurant sur
l'emballage. Rincez-les et égouttez-les. Placez-les dans un saladier.

Pelez à vif le pamplemousse et 1 orange au-dessus du saladier pour récupérer
le jus. Détaillez-les en cubes. Pressez la seconde orange pour en recueillir le
jus que vous placerez dans une jatte. Ajoutez l'huile de colza, le jus de citron,
salez et poivrez. Versez cette sauce sur la salade.

Parsemez de feuilles de menthe hachées, mélangez et servez.

SOUPE DE MILLET AU BASILIC

15 MINUTES

20 MINUTES

INGRÉDIENTS POUR 4 PERSONNES

2 carottes

2 blancs de poireaux

100 g de haricots verts frais ou surgelés

50 g de millet

100 g de petits pois frais ou surgelés

1 cuillerée à café d'huile d'olive

1 oignon

2 gousses d'ail

20 feuilles de basilic

Portez 1 litre d'eau à ébullition dans une grande casserole.

Pendant ce temps, pelez les carottes et coupez-les en rondelles, lavez les blancs de poireaux et détaillez-les en tranches, coupez les haricots verts en petits tronçons.

Jetez le millet et tous les légumes dans l'eau bouillante. Faites cuire 20 minutes.

Dans une poêle, faites revenir à l'huile l'oignon pelé et haché avec l'ail pelé et écrasé. Ajoutez le basilic en fin de cuisson. Incorporez cette préparation à la soupe. Vous pouvez, selon votre goût, mixer la soupe ou la servir telle quelle pour conserver un aspect et une saveur plus rustiques.

CRÈME DE RIZ
AU CONFIT DE SÉSAME

5 MINUTES

18 MINUTES

INGRÉDIENTS POUR 4 PERSONNES

100 g de crème de riz ou de farine de riz
2 cuillerées à soupe de confit de sésame (ou purée de sésame)
1 dl de lait de soja ou de lait entier
10 feuilles de coriandre fraîche
1 cuillerée à soupe de graines de sésame grillees

Dans une casserole, délayez la crème de riz dans 1 litre d'eau froide.

Faites cuire à feu doux pendant 15 minutes : le mélange ne doit pas bouillir mais rester au seuil de l'ébullition. Ajoutez le confit ou la puree de sésame et le lait, salez et poivrez. Laissez chauffer encore 3 minutes.

Versez dans une soupière. Décorez de feuilles de coriandre hachées et de graines de sésame.

SALADE DE LENTILLES AUX NOIX DE CAJOU ET À LA CARDAMOME

**10 MINUTES
+ LAISSEZ AU
FRAIS 1 HEURE**

20 MINUTES

INGRÉDIENTS POUR 4 PERSONNES

300 g de lentilles vertes
8 graines de cardamome
1 oignon
10 noix de cajou
3 cuillerées d'huile d'olive
1 cuillerée de vinaigre
1/2 cuillerée à café de moutarde
10 feuilles de coriandre fraîche

Faites cuire les lentilles vertes avec les graines de cardamome fendues dans une grande quantité d'eau. Les lentilles doivent rester assez fermes.

Pendant ce temps, pelez et hachez l'oignon. Ôtez une partie du sel des noix de cajou et concassez-les grossièrement.

Égouttez les lentilles, puis ajoutez-y l'oignon haché.

Dans un bol, mélangez l'huile, le vinaigre, la moutarde et la coriandre hachée. Salez et poivrez. Versez cette sauce sur la salade, mélangez bien et laissez reposer 1 heure au frais.

SALADE DE SOJA TIÈDE À LA FETA ET AUX CREVETTES

15 MINUTES

se référer aux instructions figurant sur l'emballage pour les haricots de soja + 3 MINUTES

INGRÉDIENTS POUR 4 PERSONNES

300 g de haricots de soja (vendus en magasins bio ou diététiques)
150 g de germes de soja
100 g de feta
2 cuillerées à soupe d'huile de sésame
1 cuillerée à soupe de sauce de soja
1 cuillerée à soupe de vinaigre balsamique
100 g de crevettes fraîches ou surgelées

Faites cuire les haricots de soja en suivant les instructions figurant sur l'emballage. Rincez-les soigneusement. Placez-les dans un saladier. Rincez et égouttez soigneusement les germes de soja. Taillez la feta en dés.

Préparez une sauce avec 1 cuillerée à soupe d'huile de sésame, la sauce de soja et le vinaigre balsamique.

Dans un wok, faites sauter rapidement les crevettes dans le reste d'huile, puis laissez-les refroidir. Ajoutez-les dans le saladier avec les dés de feta, versez la sauce et remuez. Servez à température ambiante.

ATTENTION

La plupart des sauces de soja vendues dans le commerce contiennent du gluten sous forme de froment ou autre. Il faut donc bien vérifier la composition de celle que vous achetez.

SALADE THAÏE AUX ARACHIDES

20 MINUTES

se référer aux instructions figurant sur l'emballage pour le riz
+ 10 MINUTES

INGRÉDIENTS POUR 4 PERSONNES

300 g de riz thaï
1 blanc de poulet
10 feuilles de coriandre
1 avocat
1/2 cuillerée à soupe de racine de gingembre pelée et hachée
1/2 cuillerée à soupe d'arachides hachées
2 cuillerées à soupe d'huile d'arachide
1 cuillerée à soupe de sauce de soja

Faites cuire le riz dans une grande quantité d'eau salée en respectant les instructions figurant sur l'emballage.

Détaillez le blanc de poulet en lanières et faites-le pocher 10 minutes avec la coriandre dans une casserole d'eau bouillante non salée.

Dans un saladier, mélangez le riz cuit bien égoutté et refroidi avec l'avocat pelé et détaillé en lamelles, les lanières de poulet égouttées et refroidies, le gingembre et les arachides.

Préparez une sauce avec l'huile et la sauce de soja. Poivrez. Versez sur la salade, remuez délicatement et servez.

ATTENTION

La plupart des sauces de soja vendues dans le commerce contiennent du gluten sous forme de froment ou autre. Il faut donc bien vérifier la composition de celle que vous achetez.

GALETTES DE MAÏS AU CURRY

15 MINUTES

20 MINUTES

INGRÉDIENTS POUR 8 GALETTES

150 g de maïs en grains
1 œuf
20 g de Maïzena
1 cuillerée à café de curry
8 cuillerées à soupe d'huile de tournesol ou d'arachide

Rincez et égouttez le maïs. Placez-le dans un saladier avec le jaune d'œuf battu et la Maïzena, ajoutez le curry, salez et poivrez, mélangez bien.

Montez le blanc en neige très ferme. Incorporez-le délicatement à la préparation au maïs.

Faites chauffer l'huile dans une poêle. Faites tomber 4 cuillerées à soupe de cette pâte dans la poêle en les aplatissant avec le dos de la cuillère pour obtenir de petites galettes. Retournez-les à mi-cuisson. Placez ces premières galettes à l'entrée du four chaud, sur du papier absorbant. Renouvelez l'opération et servez bien chaud.

HOUMMOUS

**20 MINUTES
(À PRÉPARER
LA VEILLE)**

**3 H 15 +
LAISSEZ AU
FRAIS 1 HEURE**

INGRÉDIENTS POUR 6 PERSONNES

500 g de pois chiches secs
1 cuillerée à café de bicarbonate de soude
4 gousses d'ail
1 cuillerée à café de gros sel
20 cl d'huile de sésame, d'argan ou d'huile d'amande douce
vierge
2 citrons
1 cuillerée à café de paprika

Placez les pois chiches dans un saladier. Couvrez-les d'eau dans laquelle vous aurez dilué la moitié du bicarbonate de soude. Laissez tremper toute une nuit. Le lendemain, rincez-les et égouttez-les bien. Placez-les dans une grande quantité d'eau froide, salez, ajoutez le reste du bicarbonate et portez à ébullition. Baissez ensuite le feu et laissez cuire 3 h 15 à petits bouillons.

Pendant ce temps, pelez l'ail et écrasez-le avec le gros sel. Ajoutez 1 cuillerée à soupe d'huile.

Égouttez les pois chiches. Quand ils sont refroidis, passez-les au mixeur ou au moulin à légumes avec le reste d'huile, le jus de 1 citron et l'ail pilé. Poivrez. Placez le tout dans un plat creux. Détaillez le citron restant en rondelles que vous étalerez sur l'hoummous après l'avoir saupoudré de paprika.

Placez au frais 1 heure au moins et servez.

CROQUETTES DE PAIN PERDU À LA CANNELLE

20 MINUTES

4 MINUTES PAR CROQUETTE

INGRÉDIENTS POUR 6 PERSONNES

5 cl de lait
300 g de mie de pain sans gluten
1 œuf
50 g de gruyère râpé
1 cuillerée à café de cannelle en poudre
2 cuillerées à café d'eau de fleurs d'oranger
8 cuillerées à soupe d'huile d'arachide
quelques feuilles de menthe fraîche pour la décoration

Faites chauffer le lait sans le faire bouillir. Déchirez la mie de pain en petits morceaux, placez-les dans une grande jatte et versez le lait par-dessus. Quand la mie a tout absorbé, ajoutez l'œuf entier. Mélangez bien. Incorporez le gruyère, la cannelle et l'eau de fleurs d'oranger, salez et poivrez. Mélangez encore. Formez des boulettes de cette préparation. Aplatissez-les pour obtenir des croquettes de 2 à 3 cm de diamètre.

Versez l'huile dans une poêle. Quand elle est chaude et qu'elle commence à fumer, faites-y dorer les croquettes 2 minutes par face environ, en procédant en plusieurs tournées. Placez les croquettes sur du papier absorbant à l'entrée du four chaud pendant que vous faites cuire les autres.

Décorez de feuilles de menthe fraîche et servez aussitôt.

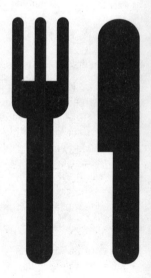

PLATS UNIQUES

GRATIN DE POMMES DE TERRE AUX LARDONS ET AUX OIGNONS

30 MINUTES

35 MINUTES

INGRÉDIENTS POUR 4 PERSONNES

1 kg de pommes de terre à chair ferme
150 g de lardons fumés
2 oignons
4 gousses d'ail
noix de muscade râpée
50 g de comté
1/2 litre de lait
1 cuillerée à soupe d'huile d'olive

Préchauffez votre four à 180/200 °C (thermostat 6-7).

Faites cuire les pommes de terre à la vapeur. Quand elles sont tièdes, pelez-les, coupez-les en rondelles et disposez-en la moitié dans le fond d'un plat à gratin.

Faites revenir les lardons dans une poêle antiadhésive sans matières grasses. Étalez-les sur les pommes de terre.

Dans la même poêle, faites revenir les oignons et l'ail pelés et hachés. Ajoutez-les sur les lardons. Saupoudrez de noix de muscade. Recouvrez d'une seconde couche de pommes de terre. Saupoudrez de comté râpé, arrosez de lait et faites gratiner au four pendant 15 à 20 minutes.

ATTENTION

Les lardons frais ou fumés vendus en sachets aux rayons frais contiennent parfois des « traces » de gluten.

MARRONS SAUTÉS À L'AIL, AUX LARDONS, AUX CÈPES ET AU PERSIL

10 MINUTES

15 MINUTES

INGRÉDIENTS POUR 4 PERSONNES

510 g de marrons en boîte
3 cèpes
1 cuillerée à soupe d'huile d'olive
2 gousses d'ail
150 g de lardons fumés
1 petit bouquet de persil

Rincez les marrons et égouttez-les. Lavez et épluchez les cèpes, détaillez-les en lamelles. Faites-les sauter dans une poêle à l'huile d'olive, avec l'ail pelé et écrasé. Réservez. Dans cette même poêle, faites revenir les lardons.

Mettez-les dans une grande casserole avec les marrons et les cèpes. Salez et poivrez, puis ajoutez le persil.

Faites réchauffer 10 minutes et servez.

ATTENTION

Les lardons frais ou fumés vendus en sachets aux rayons frais contiennent parfois des « traces » de gluten.

MAÏS BLANC SAUTÉ
AUX DÉS DE JAMBON FUMÉ

10 MINUTES

10 MINUTES

INGRÉDIENTS POUR 4 PERSONNES

2 x 285 g de maïs blanc en boîte
1 tranche très épaisse (5 mm) de jambon fumé découenné
et dégraissé
50 g de petits pois frais ou surgelés
1 petit oignon
1 cuillerée à soupe d'huile d'olive
1 cuillerée à café d'estragon haché

Rincez et égouttez le maïs. Détaillez la tranche de jambon en dés. Décongelez les petits pois au micro-ondes si nécessaire. Pelez et hachez l'oignon. Faites-le revenir 3 minutes à la poêle dans l'huile d'olive.

Ajoutez tous les autres ingrédients sauf l'estragon, salez et poivrez, puis remuez. Faites cuire 7 minutes.

Dressez dans un plat, saupoudrez d'estragon haché et servez.

BOULETTES DE BŒUF AU MILLET ET À L'ÉCHALOTE, SAUCE AU POIVRON

20 MINUTES

30 MINUTES

INGRÉDIENTS POUR 4 PERSONNES

Pour les boulettes :
400 g de viande de bœuf hachée
50 g de millet cuit
3 cuillerées à soupe de Maïzena
2 échalotes
2 cuillerées à soupe d'huile d'olive

Pour la sauce :
3 poivrons rouges
2 cuillerées à soupe d'huile d'olive
2 gousses d'ail
1 oignon
1 cuillerée à soupe de crème fraîche
1 cuillerée à soupe de concentré de tomates
10 feuilles de basilic frais

Préparez les boulettes : écrasez la viande hachée à la fourchette. Incorporez le millet, 1 cuillerée à soupe de Maïzena et les échalotes hachées. Formez des boulettes que vous roulerez dans le restant de Maïzena. Faites-les dorer à la poêle dans l'huile d'olive.

Préparez la sauce : lavez et épépinez les poivrons, retirez les membranes blanches. Détaillez la chair en lamelles et faites-les revenir à feu doux dans l'huile d'olive. Ajoutez en fin de cuisson l'ail et l'oignon pelés et hachés. Salez et poivrez. Mixez ce mélange avec le concentré de tomates, la crème fraîche et le basilic.

Quand les boulettes sont cuites, disposez-les dans un plat de service, nappez-les de sauce au poivron et servez avec du riz parfumé.

COURGETTES GRATINÉES AUX LANIÈRES DE JAMBON FUMÉ

10 MINUTES

25 MINUTES

INGRÉDIENTS POUR 4 PERSONNES

4 courgettes moyennes
1 cuillerée à soupe d'huile d'olive
4 feuilles de laurier
2 oignons
1 échalote
4 petites tranches de jambon fumé dégraissé
15 cl de crème fraîche
2 œufs

Préchauffez le four à 180 °C (thermostat 6).

Lavez les courgettes et coupez-les en tranches de 2 à 3 mm d'épaisseur. Faites-les revenir à la poêle dans l'huile d'olive, avec les feuilles de laurier. Salez et poivrez. Quand elles sont *al dente*, égouttez-les bien et placez-les sur du papier absorbant pour éliminer un maximum d'eau. Ôtez les feuilles de laurier.

Dans cette même poêle, faites fondre les oignons et l'échalote pelés et hachés jusqu'à ce qu'ils deviennent transparents. Placez les courgettes dans un plat à gratin. Recouvrez-les de lanières de jambon fumé avant d'ajouter les oignons et l'échalote cuits. Dans une jatte, battez la crème fraîche et les œufs. Versez ce mélange sur les légumes. Enfournez pour 15 minutes.

POTÉE DE POIS CASSÉS À LA SAUGE

15 MINUTES

1 H 30

INGRÉDIENTS POUR 4 PERSONNES

400 g de pois cassés
1 branche de thym
2 feuilles de laurier
6 feuilles de sauge
2 oignons
4 clous de girofle
200 g de lardons fumés
2 saucisses fumées
15 cl de vin blanc sec

Faites cuire les pois cassés dans une grande quantité d'eau froide avec le thym, le laurier, la sauge et les oignons dans lesquels vous aurez planté les clous de girofle. Salez légèrement, poivrez.

Après 1 heure de cuisson, ajoutez les lardons et les saucisses. En fin de cuisson, ajoutez le vin blanc.

Retirez les herbes et les oignons, dressez dans un plat creux avec les saucisses autour.

ATTENTION

Assurez-vous que les saucisses fumées que vous achetez ne contiennent pas de gluten. Certaines peuvent en effet parfois contenir des matières dites amylacées, donc du gluten.

TERRINE DE PETITS LÉGUMES AU NEUFCHÂTEL ET AUX DÉS DE JAMBON

20 MINUTES

50 MINUTES

INGRÉDIENTS POUR 6 PERSONNES

100 g de carottes
1 poivron rouge
1 cuillerée à soupe d'huile d'olive
1 oignon
150 g de petits pois frais ou surgelés
150 g de haricots verts frais ou surgelés
6 têtes de brocolis fraîches ou surgelées
8 œufs
10 cl de crème fraîche
20 feuilles de basilic
150 g de dés de jambon

Préchauffez le four à 180 °C (thermostat 6).

Épluchez les carottes. Lavez le poivron, épépinez-le, ôtez les membranes blanches et détaillez la chair en dés. Faites-le revenir à la poêle dans l'huile d'olive avec l'oignon pelé et haché. Décongelez les petits pois, les haricots verts et les têtes de brocolis si nécessaire. Faites cuire le tout 5 à 10 minutes dans l'eau bouillante. Tous les légumes doivent garder une certaine fermeté.

Dans une jatte, battez les œufs en omelette avec la crème fraîche, salez et poivrez, puis ajoutez le basilic haché. Incorporez enfin tous les légumes et les dés de jambon bien égouttés.

Versez le tout dans un moule à cake huilé et fariné à l'aide d'une farine sans gluten. Faites cuire 40 minutes au four dans un bain-marie.

Avant de sortir la terrine du four, vérifiez la cuisson en plongeant la pointe d'un couteau au cœur : la lame doit ressortir sèche.

Servez tiède avec un coulis de tomates.

RIZ COMPLET ET SA SAUCE AUX TOMATES FRAÎCHES

10 MINUTES

15 À 20 MINUTES

INGRÉDIENTS POUR 4 PERSONNES

300 g de riz complet
6 tomates bien mûres
1 poivron vert
2 oignons
4 gousses d'ail
4 cuillerées à soupe d'huile d'olive
1 branche de thym
15 feuilles de basilic
150 g de haricots rouges en boîte
1/2 cuillerée à café de paprika

Faites cuire le riz en suivant les instructions figurant sur l'emballage. Pendant ce temps, préparez la sauce : lavez les tomates (sauf si vous les pelez) et détaillez-les en dés. Lavez le poivron, épépinez-le, ôtez les membranes blanches et coupez la chair en lanières. Pelez et hachez les oignons. Pelez et écrasez l'ail.

Dans une cocotte, faites fondre à feu doux le poivron dans 2 cuillerées à soupe d'huile d'olive. Salez et poivrez. Ajoutez les oignons hachés et la moitié de l'ail. Faites cuire jusqu'à ce que les oignons deviennent transparents, puis ajoutez les tomates, le thym et le basilic. Prolongez la cuisson jusqu'à ce que les tomates forment une purée. Faites réduire la sauce de moitié. Réservez au chaud dans une jatte.

Dans la même cocotte, faites chauffer le reste d'huile et jetez-y les haricots rouges rincés et égouttés. Faites-les sauter 3 minutes.

Égouttez bien le riz. Ajoutez les haricots rouges sautés avec le reste d'ail. Mélangez bien. Disposez le tout dans un plat de service et servez la sauce tomate à part.

CÔTÉ BIEN-ÊTRE

Le riz complet, qui est une céréale, associé avec les haricots rouges (légumineuses), constitue un apport de protéines végétales d'excellente qualité.

QUINOA À LA MENTHE ET À LA CANNELLE

20 MINUTES

15 MINUTES

INGRÉDIENTS POUR 4 PERSONNES

300 g de quinoa
100 g de pois chiches en boîte
2 cuillerées à soupe d'huile d'olive
20 feuilles de menthe + 10 feuilles pour la décoration
1 oignon
2 gousses d'ail
1 cuillerée à café de cannelle en poudre

Faites cuire le quinoa en suivant les instructions figurant sur l'emballage.

Pendant ce temps, rincez les pois chiches et égouttez-les. Faites-les revenir à l'huile d'olive dans une poêle avec la menthe lavée et hachée, l'oignon et l'ail pelés et hachés et la cannelle. Salez et poivrez.

Quand le quinoa est cuit, égouttez-le soigneusement. Placez-le dans une jatte, puis ajoutez les pois chiches. Mélangez bien. Rectifiez l'assaisonnement si nécessaire. Disposez cette préparation dans un plat creux, décorez des feuilles de menthe restantes et servez.

CÔTÉ BIEN-ÊTRE

Comme dans la recette précédente, l'association d'une céréale (le quinoa) et de légumineuses (les pois chiches) fournit des protéines végétales d'excellente qualité.

PÂTES AU MAÏS ET AUX LANIÈRES DE SAUMON FUMÉ

15 MINUTES

se référer aux instructions figurant sur l'emballage pour les pâtes + 5 MINUTES

INGRÉDIENTS POUR 4 PERSONNES

250 g de pâtes sans gluten (vendues en magasins spécialisés)
150 g de saumon fumé
quelques branches d'aneth
1 cuillerée à soupe d'huile d'olive
2 échalotes
150 g de maïs en boîte
15 cl de crème fraîche

Faites cuire les pâtes en suivant les instructions figurant sur l'emballage.

Pendant ce temps, détaillez le saumon fumé en lanières. Lavez et ciselez l'aneth en gardant quelques brins entiers pour la décoration. Dans une poêle, faites revenir à l'huile d'olive les échalotes pelées et hachées avec le maïs rincé et égoutté pendant 5 minutes.

Égouttez les pâtes et mettez-les dans une jatte. Ajoutez la crème fraîche, le maïs et les échalotes, salez et poivrez. Mélangez bien. Ajoutez 100 g de lanières de saumon fumé. Remuez délicatement. Rectifiez l'assaisonnement si nécessaire. Disposez dans un plat de service. Décorez des lanières de saumon restantes et des brins d'aneth réservés. Servez sans attendre.

GALETTES DE POMMES DE TERRE AUX LARDONS ET AU CHÈVRE

20 MINUTES

20 MINUTES

INGRÉDIENTS POUR 4 PERSONNES

6 belles pommes de terre à chair ferme
1 oignon rouge
4 gousses d'ail
50 g de lardons fumés
1 œuf
100 g de fromage de chèvre
2 cuillerées à soupe de Maïzena
4 cuillerées à soupe d'huile d'olive
1 bouquet de persil ciselé

Pelez les pommes de terre et râpez-les. Pressez-les dans un torchon propre pour exprimer un maximum de liquide. Renouvelez l'opération avec un autre torchon si nécessaire. Pelez et hachez l'oignon rouge, pelez et écrasez l'ail. Faites revenir les lardons dans une poêle, sans matières grasses. Quand ils sont cuits, égouttez-les bien et essuyez la poêle avec du papier absorbant.

Battez l'œuf. Écrasez le fromage de chèvre à la fourchette. Placez le tout dans un saladier avec les pommes de terre râpées, l'oignon, l'ail, les lardons et la Maïzena. Salez et poivrez. Malaxez bien le tout. La préparation doit être assez ferme pour pouvoir former de grosses boulettes que vous aplatirez avec la main. Dans le cas contraire, ajoutez un peu de Maïzena.

Faites chauffer l'huile dans une poêle pour y faire dorer les galettes à feu moyen, environ 10 minutes sur chaque face. Égouttez-les sur du papier absorbant, saupoudrez-les de persil haché et servez bien chaud.

ATTENTION

Les lardons frais ou fumés vendus en sachets aux rayons frais contiennent parfois des « traces » de gluten.

PLATS DE LÉGUMES
SANS VIANDE

PAIN VAPEUR

INGRÉDIENTS POUR 6 PERSONNES

30 g de levure de boulanger
15 cl de lait
500 g de farine de riz
2 œufs
45 g de beurre fondu

10 MINUTES +
LAISSEZ
REPOSER
2 HEURES

10 MINUTES

Dans une jatte, délayez la levure dans le lait tiède. Ajoutez 3 cuillerées à soupe de farine de riz. Recouvrez d'un torchon légèrement humide et laissez reposer 1 heure dans un endroit tiède. La pâte doit avoir levé de moitié.

Ajoutez alors le reste de farine, 1 pincée de sel, les œufs et le beurre.

Pétrissez à la main pour obtenir une pâte homogène que vous laisserez lever encore 1 heure dans un endroit tiède, sous un torchon humide.

Formez des boules avec cette pâte et faites-les cuire à la vapeur pendant 10 minutes. Servez chaud, comme accompagnement des viandes en sauce.

GRATIN DE QUINOA AUX TOMATES ET AU BASILIC

20 MINUTES

se référer aux instructions figurant sur l'emballage pour le quinoa + 1 H 05

INGRÉDIENTS POUR 4 PERSONNES

200 g de quinoa
4 courgettes
2 cuillerées à soupe d'huile d'olive
4 tomates
4 gousses d'ail
1 oignon
1 bouquet de persil
1/2 litre de lait
100 g de gruyère râpé

Préchauffez le four à 180 °C (thermostat 6).

Faites cuire le quinoa en suivant les instructions figurant sur l'emballage, puis égouttez-le bien.

Pelez les courgettes et coupez-les en rondelles. Faites-les cuire dans une pôele, à l'huile d'olive, pendant 15 minutes. Réservez-les.

Dans la même pôele, faites suer l'ognon pendant 5 minutes. Ajoutez les tomates coupées en cubes, l'ail pelé et écrasé, ainsi que le persil ciselé. Salez et poivrez. Prolongez la cuissson 5 minutes.

Disposez les rondelles de courgettes, le quinoa et la préparation à base de tomates, le tout mélangé, dans un plat à gratin huilé. Arrosez de lait, saupoudrez de gruyère râpé et faites gratiner 40 minutes au four.

COUSCOUS DE QUINOA

30 MINUTES

se référer aux
instructions
figurant sur
l'emballage
pour le quinoa
+
30 MINUTES

INGRÉDIENTS POUR 4 PERSONNES

100 g de pois chiches secs
250 g de quinoa
250 g de carottes
1 poivron rouge
250 g de haricots verts frais ou surgelés
2 oignons
2 navets
2 cuillerées à soupe d'huile d'olive
1 cuillerée à café de cannelle en poudre

Faites tremper les pois chiches toute une nuit dans l'eau froide. Le lendemain, égouttez-les et faites-les cuire dans une grande quantité d'eau salée. Rincez, égouttez et réservez.

Faites cuire le quinoa en suivant les instructions figurant sur l'emballage. Égouttez-le soigneusement, égrenez-le à la fourchette et réservez-le.

Portez à ébullition 1,5 litre d'eau dans un couscoussier.

Pelez les carottes, détaillez-les en dés et placez-les dans la partie supérieure du couscoussier pendant 10 minutes. ajoutez ensuite le poivron épépiné et détaillé en cubes, les haricots verts découpés en tronçons, les oignons pelés et hachés et les navets pelés et découpés en dés. Salez et poivrez. Faites cuire les légumes jusqu'à ce qu'ils soient *al dente*.

Faites réchauffer le quinoa à la poêle dans l'huile d'olive. Ajoutez la cannelle, salez et poivrez. Disposez dans un plat et saupoudrez de cannelle.

Placez les légumes dans un plat de service avec un peu d'eau de cuisson, et présentez les pois chiches dans une jatte. Servez bien chaud.

LENTILLES AU MILLET ET AUX LARDONS FUMÉS

30 MINUTES

se référer aux instructions figurant sur l'emballage pour les lentilles et le millet
+ 13 MINUTES

INGRÉDIENTS POUR 4 PERSONNES

300 g de lentilles brunes
50 g de millet
50 g de petits pois frais ou surgelés
100 g de lardons fumés
1 oignon
1 échalote
1 gousse d'ail
1 cuillerée à soupe d'huile d'olive
1 branche de coriandre

Faites cuire les lentilles en suivant les instructions figurant sur l'emballage, en veillant à ce qu'elles restent fermes. Rincez-les sous l'eau froide et égouttez-les. Procédez de même pour le millet.

Décongelez les petits pois si nécessaire. Faites sauter les lardons dans une poêle antiadhésive, sans matières grasses pendant 5 minutes.

Pelez et hachez l'oignon et l'échalote. Pelez et écrasez l'ail. Faites-les revenir ensemble dans une poêle à l'huile d'olive, pendant 5 minutes environ, jusqu'à ce que les oignons deviennent transparents. Placez le tout dans une jatte. Salez et poivrez. Mélangez bien. Réchauffez le mélange des oignons, des lentilles, du millet et des lardons au micro-ondes pendant 3 minutes à la puissance maximale (ou, à défaut, dans une grande cocotte, en remuant souvent). Dressez dans un plat de service et décorez de feuilles de coriandre lavées et ciselées, puis servez.

BOULETTES DE SARRASIN
AUX PETITS LÉGUMES

20 MINUTES

15 MINUTES

INGRÉDIENTS POUR 4 PERSONNES

300 g de sarrasin cuit
2 cuillerées à soupe de farine de sarrasin
1 œuf
2 carottes
1 oignon
1 gousse d'ail
1 bouquet de persil
2 cuillerées à soupe d'huile d'olive

Mettez le sarrasin bien égoutté dans une jatte. Ajoutez la farine et l'œuf, mélangez bien. Pelez les carottes, détaillez-les en petits cubes et faites-les blanchir 2 minutes dans l'eau bouillante salée. Pelez l'oignon et hachez-le, pelez et écrasez l'ail. Lavez, essuyez et ciselez le persil.

Mettez le tout dans la jatte avec le mélange au millet, salez et poivrez. Malaxez à la main pour obtenir une préparation homogène. Formez des boulettes.

Faites chauffer l'huile d'olive dans une poêle pour y faire dorer les boulettes, à feu vif d'abord, puis à feu moyen. Remuez souvent pour obtenir une cuisson uniforme. Servez avec une salade verte.

MILLET AU SÉSAME ET AUX LÉGUMES CROQUANTS

20 MINUTES

se référer aux instructions figurant sur l'emballage pour le millet
+ 15 MINUTES ENVIRON

INGRÉDIENTS POUR 4 PERSONNES

300 g de millet
2 blancs de poireaux
2 carottes
6 têtes de brocolis fraîches ou surgelées
1 branche de fenouil
1 bouquet de basilic
2 cuillerées à soupe d'huile de tournesol
2 cuillerées à soupe de graines de sésame

Faites cuire le millet en suivant les instructions figurant sur l'emballage. Égouttez-le soigneusement et placez-le dans une jatte. Lavez les blancs de poireaux et détaillez-les en rondelles. Pelez les carottes et coupez-les en dés. Décongelez les têtes de brocolis si nécessaire et détaillez-les en lamelles. Découpez le fenouil en tout petits tronçons. Lavez, essuyez et ciselez le basilic en réservant quelques feuilles pour la décoration.

Faites chauffer l'huile dans une grande poêle pour y faire sauter ensemble tous les légumes à feu moyen en veillant à ce qu'ils ne prennent pas de couleur. Salez et poivrez. Quand ils sont cuits, ajoutez-les au millet. Mélangez bien. Rectifiez l'assaisonnement si nécessaire.

Faites griller le sésame à sec dans une poêle antiadhésive avant de le mélanger avec les légumes et le millet.

Dressez dans un plat de service et décorez des feuilles de basilic réservées.

QUINOA AUX LENTILLES ROSES ET AUX POIREAUX

15 MINUTES

10 MINUTES

INGRÉDIENTS POUR 4 PERSONNES

100 g de lentilles roses
200 g de quinoa
2 blancs de poireaux
1 belle tomate
2 petits oignons frais
2 oignons
1 bouquet de persil
1/2 cuillerée à soupe racine de gingembre pelée et hachée

Faites cuire les lentilles en suivant les instructions figurant sur l'emballage. Rincez et réservez. Ébouillantez le quinoa pendant 10 minutes environ dans une grande quantité d'eau salée.

Détaillez en tronçons les blancs de poireaux lavés et essuyés. Coupez la tomate en dés. Pelez et hachez les oignons. Lavez, essuyez et ciselez le persil.

Dans une poêle, faites revenir brièvement les oignons, les blancs de poireaux et le gingembre dans l'huile d'olive. Ajoutez la tomate en fin de cuisson.

Dans une jatte, mélangez le quinoa et les lentilles roses. Ajoutez le contenu de la poêle et mélangez délicatement. Disposez le tout dans un plat de service, parsemez de persil haché et servez.

GALETTES DE RIZ AUX NOISETTES ET À LA CORIANDRE

20 MINUTES

15 MINUTES

INGRÉDIENTS POUR 4 GALETTES

250 g de riz complet
50 g de noisettes concassées
20 feuilles de coriandre
4 cuillerées à soupe de farine de riz
2 œufs entiers
2 cuillerées à café de sauce de soja
2 cuillerées à soupe d'huile d'arachide

Faites cuire le riz. Il doit rester légèrement croquant. Rincez-le et égouttez-le bien. Pressez-le légèrement dans la passoire pour exprimer un maximum de liquide. Placez-le dans une jatte.

Dans une poêle antiadhésive, faites griller à sec les noisettes concassées en veillant à ce qu'elles ne brûlent pas. Placez-les dans la jatte avec les feuilles de coriandre lavées, essuyées et ciselées, la farine de riz, les œufs et la sauce de soja. Poivrez à votre goût. Mélangez bien. L'ensemble doit être ferme et compact. Formez des boulettes que vous aplatirez du plat de la main. Farinez-les un peu si elles manquent de tenue.

Versez l'huile dans une poêle. Faites-y dorer les galettes à feu vif, 5 minutes par face environ. Servez avec des tomates à la provençale.

ATTENTION

La plupart des sauces de soja vendues dans le commerce contiennent du gluten sous forme de froment ou autre. Il faut donc bien vérifier la composition de celle que vous achetez.

SOJA AU FENOUIL ET AUX TAGLIATELLES DE COURGETTES

20 MINUTES

15 MINUTES

INGRÉDIENTS POUR 4 PERSONNES

300 g de haricots de soja (vendus en magasins bio ou diététiques)

1 bulbe de fenouil

1 tomate

1 oignon

1 cuillerée à soupe d'huile d'olive

1 branche de thym

1 belle courgette

1 cuillerée à soupe d'huile d'argan

1 cuillerée à soupe de vinaigre balsamique

poivre rose

Faites cuire les haricots de soja en suivant les instructions figurant sur l'emballage. Rincez-les et égouttez-les bien.

Épluchez le fenouil et détaillez-le en dés en réservant les feuilles pour la décoration. Lavez la tomate et découpez-la en petits dés. Pelez et hachez l'oignon.

Dans une poêle, faites revenir le fenouil à l'huile d'olive. Après 5 minutes, ajoutez l'oignon avec le thym et laissez cuire jusqu'à ce que l'oignon devienne transparent. Ajoutez les dés de tomates en fin de cuisson. Salez et poivrez. Coupez le feu et réservez.

Pelez la courgette et détaillez-la en longs rubans avec un économe pour obtenir des « tagliatelles ».

Dans une jatte, mélangez les haricots de soja et le contenu de la poêle. Réchauffez le tout au micro-ondes.

Présentez harmonieusement les « tagliatelles » de courgette sur un des côtés de quatre assiettes de service, arrosez-les d'un filet d'huile d'argan et de vinaigre balsamique. Salez, assaisonnez de poivre rose et décorez des feuilles de fenouil réservées. Sur l'autre moitié des assiettes, répartissez les haricots de soja. Servez sans attendre.

MASH DE POMMES DE TERRE AU CURRY

10 MINUTES

20 MINUTES

INGRÉDIENTS POUR 6 PERSONNES

1 kg de pommes de terre bintje
1 feuille de laurier
50 g de beurre
1 cuillerée à café de curry en poudre
1/2 bouquet de coriandre fraîche

Pelez les pommes de terre, coupez-les en deux et faites-les cuire avec le laurier dans une grande casserole d'eau bouillante salée.

Faites fondre le beurre dans une autre casserole.

Égouttez les pommes de terre, mettez-les dans un saladier et écrasez-les à la fourchette avec le beurre fondu et le curry.

Ajoutez la coriandre grossièrement hachée. Salez et poivrez à votre goût. Servez avec une viande grillée.

TATIN DE POMMES DE TERRE

30 MINUTES

1 HEURE

INGRÉDIENTS POUR 6 PERSONNES

1 kg de pommes de terre bintje
2 gousses d'ail
25 cl de crème fraîche épaisse
125 g de beaufort
noix de muscade

Épluchez les pommes de terre, coupez-les en fines rondelles de 3 mm d'épaisseur environ, lavez-les et essuyez-les dans un torchon. Pelez les gousses d'ail et hachez-les finement.

Étalez 2 cuillerées à soupe de crème fraîche sur le fond d'une poêle antiadhésive, déposez dessus une couche de rondelles de pommes de terre en les faisant se chevaucher légèrement, parsemez de beaufort râpé, d'ail haché et d'une pincée de noix de muscade, salez et poivrez. Renouvelez l'opération jusqu'à épuisement des ingrédients en terminant par une couche de beaufort.

Couvrez et laissez cuire à feu très doux pendant 30 minutes, ôtez le couvercle et laissez cuire encore 30 minutes, toujours très doucement.

Retournez la tatin sur un plat de service et servez aussitôt.

RATATOUILLE MINUTE

15 MINUTES

15 MINUTES

INGRÉDIENTS POUR 6 PERSONNES

4 courgettes
2 aubergines
1 poivron rouge
3 gousses d'ail
4 cuillerées à soupe d'huile d'olive
1 cuillerée à soupe de curry en poudre
6 brins de coriandre

Coupez les extrémités des courgettes. Ôtez le pédoncule des aubergines et du poivron. Lavez et essuyez les légumes avant de les détailler en petits cubes. Pelez et écrasez les gousses d'ail.

Faites chauffer 3 cuillerées à soupe d'huile dans une cocotte pour y faire revenir d'abord les dés d'aubergines pendant 2 minutes, en remuant à la cuillère en bois. Ajoutez les cubes de poivron et faites-les revenir 2 minutes, puis terminez par les cubes de courgettes et les gousses d'ail.

Faites dorer le tout 6 à 8 minutes, saupoudrez de curry, salez et poivrez, puis remuez délicatement. Versez le reste de l'huile en filet et ajoutez hors du feu la coriandre grossièrement ciselée.

Servez chaud ou froid avec des viandes ou des poissons grillés.

ENDIVES CARAMÉLISÉES AU BEURRE SALÉ

5 MINUTES

15 MINUTES

INGRÉDIENTS POUR 4 PERSONNES

6 endives
50 g de beurre demi-sel
4 cuillerées à soupe de cassonade
1 pincée de cannelle en poudre

Ôtez les premières feuilles des endives si besoin. Coupez-les en deux dans le sens de la longueur.

Dans une poêle, faites chauffer le beurre en veillant à ce qu'il ne noircisse pas. Placez-y les 12 moitiés d'endives, poivrez et faites cuire d'abord à feu vif, puis à feu moyen. Après 5 minutes, saupoudrez de cassonade.

Retournez les endives et prolongez la cuisson jusqu'à ce qu'elles soient caramélisées sur toutes les faces.

Dressez sur un plat de service, nappez du jus de la poêle, saupoudrez de cannelle et servez.

ŒUFS

OMELETTE LÉGÈRE AU LAIT DE SOJA ET AUX POIVRONS

15 MINUTES

5 À 10 MINUTES

INGRÉDIENTS POUR 4 PERSONNES

1 poivron rouge
1 poivron vert
2 cuillerées à soupe d'huile de tournesol
8 œufs
15 cl de lait de soja
20 brins de ciboulette
1 bouquet de persil

Lavez les poivrons, épépinez-les et ôtez les membranes blanches. Détaillez-les en dés. Faites-les sauter à la poêle dans 1 cuillerée à soupe d'huile de tournesol. Réservez-les.

Cassez les œufs et séparez les blancs des jaunes. Battez les jaunes avec le lait, la ciboulette et le persil ciselés, salez et poivrez.

Montez les blancs en neige très ferme avant de les incorporer délicatement aux jaunes. Faites chauffer le reste d'huile de tournesol dans une poêle, puis versez l'omelette.

Laissez cuire 5 minutes environ à feu moyen, détaillez en quatre parts et servez.

DÉS D'OMELETTE AUX BROCOLIS SAUTÉS À L'AIL ET AU GINGEMBRE

20 MINUTES

10 MINUTES

INGRÉDIENTS POUR 4 PERSONNES

200 g de bouquets de brocolis frais ou surgelés
4 gousses d'ail
6 œufs
1 cuillerée à café de curcuma
2 cuillerées à soupe d'huile d'arachide
1/2 cuillerée de racine de gingembre pelée et hachée

Décongelez les brocolis si nécessaire. Détaillez-les en dés. Pelez et écrasez l'ail.

Battez les œufs en omelette. Ajoutez le curcuma, salez et poivrez. Versez l'huile dans une poêle pour y faire sauter brièvement les broclois, l'ail et le gingembre.

Versez l'omelette et laissez cuire 5 à 10 minutes. Découpez en cubes et servez avec une salade verte ou du riz.

SOUFFLÉS AU SAUMON ET À LA CIBOULETTE

15 MINUTES

25 MINUTES

INGRÉDIENTS POUR 4 PERSONNES

40 g de beurre
25 g de fécule de pomme de terre
100 g de Maïzena
50 cl de lait
4 œufs
20 brins de ciboulette
1 échalote
200 g de saumon fumé

Préchauffez le four à 200 °C (thermostat 7).

Dans une petite casserole, faites fondre le beurre à feu doux. Ajoutez la fécule de pomme de terre et la Maïzena en remuant constamment. Quand le mélange est homogène, versez le lait préalablement chauffé sans cesser de tourner. Salez et poivrez. Coupez le feu. Ajoutez alors les jaunes d'œufs battus, la ciboulette ciselée, l'échalote pelée et hachée et le saumon détaillé en petits dés.

Montez les blancs en neige très ferme et incorporez-les délicatement à la préparation. Versez dans quatre petits moules à soufflé antiadhésifs et enfournez pendant 25 minutes.

PETITES LANIÈRES D'OMELETTES À LA CHINOISE ET GERMES DE SOJA AU WOK

20 MINUTES

10 MINUTES

INGRÉDIENTS POUR 4 PERSONNES

6 œufs
1 cuillerée à soupe de racine de gingembre pelée et hachée
1 cuillerée à soupe de sauce de soja
2 cuillerées à soupe d'huile d'arachide
1 cuillerée à soupe d'huile de sésame
200 g de germes de soja frais
20 feuilles de coriandre hachée

Battez les œufs en omelette. Incorporez le gingembre et la sauce de soja, poivrez et mélangez bien. Faites chauffer dans une poêle 1 cuillerée d'huile d'arachide avec l'huile de sésame. Quand elle commence à fumer, versez la moitié des œufs battus pour obtenir une omelette assez fine. Dès que cette dernière est cuite, faites-la glisser sur une assiette.

Préparez de la même manière une seconde omelette.

Dans un wok, faites sauter les pousses de soja dans le reste d'huile d'arachide avec la coriandre lavée, essuyée et hachée. Salez et poivrez. Détaillez les omelettes en lanières. Mélangez délicatement ces dernières avec les germes de soja, dressez sur un plat de service et servez.

ATTENTION

La plupart des sauces de soja vendues dans le commerce contiennent du gluten sous forme de froment ou autre. Il faut donc bien vérifier la composition de celle que vous achetez.

FRITTATA AUX PETITS LÉGUMES

15 MINUTES

40 MINUTES

INGRÉDIENTS POUR 4 PERSONNES

100 g de petits pois frais ou surgelés
100 g de haricots frais ou surgelés
2 carottes
1 oignon
1 gousse d'ail
2 cuillerées à soupe d'huile d'olive
6 œufs
20 cl de crème fraîche
1 bouquet de persil

Préchauffez le four à 160 °C (thermostat 5).

Décongelez si nécessaires les petits pois et les haricots verts détaillés en tronçons. Pelez les carottes et coupez-les en dés. Pelez et hachez l'oignon, pelez et écrasez l'ail. Faites-les revenir dans une poêle à l'huile d'olive. Ajoutez les dés de carottes, les petits pois et les haricots.

Battez ensemble les œufs et la crème fraîche. Salez et poivrez avant d'ajouter le persil lavé et ciselé. Étalez les légumes dans un plat allant au four légèrement huilé. Versez délicatement les œufs battus par-dessus et enfournez pour 30 minutes.

BROUILLADE AUX OLIVES ET AUX PIGNONS DE PIN

10 MINUTES

7 MINUTES

INGRÉDIENTS POUR 4 PERSONNES

10 olives noires dénoyautées
1 poivron rouge
1 bouquet de basilic
2 cuillerées à soupe d'huile d'olive
2 cuillerées à soupe de pignons de pin
8 œufs

Détaillez les olives noires en lamelles. Lavez le poivron et coupez-le en cubes. Lavez et ciselez le basilic. Faites revenir le poivron et le basilic dans une poêle avec 1 cuillerée à soupe d'huile d'olive. Dans une autre poêle, grillez à sec les pignons de pin grossièrement concassés.

Versez le reste d'huile dans une troisième poêle pour y réchauffer le mélange au poivron, les olives et les pignons. Cassez les œufs sur ce mélange, salez et poivrez, remuez jusqu'à obtention d'une brouillade ni trop baveuse ni trop sèche. Servez bien chaud, saupoudré d'herbes fraîches ciselées (basilic, persil ou autre).

QUICHE SANS PÂTE AUX ÉPINARDS

10 MINUTES

40 MINUTES

INGRÉDIENTS POUR 6 À 8 PERSONNES

4 œufs
20 cl de crème fraîche
100 g de Maïzena
15 cl de lait écrémé
100 g de gruyère râpé
200 g d'épinards frais
1 oignon
2 gousses d'ail

Préchauffez le four à 160 °C (thermostat 5).

Battez les œufs en omelette avec la crème fraîche. Ajoutez la Maïzena. Mélangez bien. Versez le lait progressivement. Ajoutez le gruyère râpé, salez et poivrez.

Dans une poêle, faites fondre les feuilles d'épinards lavées et débarrassées de leur côte centrale avec l'oignon et l'ail pelés et hachés.

Disposez les légumes au fond d'un plat à tarte huilé et fariné à l'aide d'une farine sans gluten. Versez les œufs battus par-dessus. Faites cuire 40 minutes.

TORTILLA AUX ÉCHALOTES ET AUX POMMES DE TERRE

30 MINUTES

15 MINUTES

INGRÉDIENTS POUR 6 PERSONNES

10 petites pommes de terre
3 cuillerées à soupe d'huile d'olive
1/2 cuillerée à café de paprika
1 beau bouquet de persil
2 échalotes
20 tranches de chorizo
12 œufs

Pelez les pommes de terre et faites-les cuire à la vapeur. Découpez-les en dés. Faites-les sauter dans une poêle dans 2 cuillerées à soupe d'huile d'olive. Ajoutez le paprika, le persil haché, les échalotes pelées et hachées, et le chorizo. Salez et poivrez.

Battez les œufs en omelette. Quand les pommes de terre sont dorées, mettez-les dans la jatte avec les œufs.

Faites chauffer 1 cuillerée à soupe d'huile dans la poêle. Quand elle commence à fumer, versez le mélange aux œufs. À mi-cuisson, couvrez la poêle d'une assiette d'un diamètre légèrement supérieur et retournez-la. Faites glisser la tortilla dans la poêle pour qu'elle finisse de cuire sur l'autre face. Quand elle est prise, placez-la sur un plat et découpez-la en parts. Servez seul ou avec une salade verte.

ATTENTION

Vérifiez que le chorizo que vous utilisez soit exempt de gluten car certains renferment des matières dites amylacées, donc du gluten.

ŒUFS COCOTTE AUX DÉS DE FETA ET AUX PETITS OIGNONS HACHÉS

10 MINUTES

8 À 10 MINUTES

INGRÉDIENTS POUR 4 PERSONNES

100 g de feta
5 cl de crème fraîche
1/2 cuillerée à café de noix de muscade
2 petits oignons frais
4 œufs
1 cuillerée à café d'huile d'olive

Préchauffez le four à 210 °C (thermostat 7).

Dans une jatte, fouettez la feta écrasée à la fourchette avec la crème. Salez et poivrez, puis ajoutez la noix de muscade. Faites revenir les petits oignons pelés et hachés dans très peu d'huile d'olive avant de les transférer dans la jatte. Réservez 4 cuillerées à soupe de ce mélange et répartissez le reste dans quatre ramequins légèrement huilés. Cassez 1 œuf dans chaque ramequin. Crevez le jaune avec un cure-dents. Recouvrez du mélange réservé et faites cuire 8 à 10 minutes au four dans un bain-marie.

PETITS FLANS
AUX TOMATES CERISES

20 MINUTES

1 HEURE

INGRÉDIENTS POUR 4 PERSONNES

2 petits oignons
4 gousses d'ail
100 g de lardons fumés
20 brins de ciboulette
1 petit bouquet de persil
15 cl de crème fraîche
3 œufs
1 cuillerée à café de gingembre en poudre
20 tomates cerises

Préchauffez le four à 180 °C (thermostat 6).

Pelez et hachez les oignons. Pelez et écrasez l'ail. Dans une poêle, faites revenir les lardons sans matières grasses. Quand ils sont dorés, ajoutez les oignons et l'ail, puis la ciboulette et le persil lavés et ciselés. Laissez revenir 10 minutes à feu doux.

Dans une jatte, mélangez ensemble la crème fraîche, les œufs et le gingembre. Salez et poivrez. Huilez quatre ramequins.

Découpez les tomates cerises en deux. Placez 5 moitiés dans chaque ramequin. Versez les œufs battus dessus et disposez les ramequins dans un plat contenant de l'eau jusqu'à mi-hauteur. Recouvrez de papier d'aluminium et enfournez pour 30 minutes. Retirez le papier d'aluminium et laissez cuire encore 10 minutes.

ATTENTION

Les lardons frais ou fumés vendus en sachets aux rayons frais contiennent parfois des « traces » de gluten.

VIANDES

POULET AU CURRY,
SAUCE À LA MANGUE FRAÎCHE

20 MINUTES

1 HEURE

INGRÉDIENTS POUR 6 PERSONNES

2 oignons rouges
1 poulet en morceaux + 3 blancs de poulet fermier
2 gousses d'ail
1 boîte de lait de coco non sucré
1 cuillerée à soupe bombée de curry
1/2 bouquet de coriandre fraîche
1 belle mangue fraîche
le jus de 2 citrons verts
3 cuillerées à soupe d'huile d'olive

Dans une grande sauteuse, faites revenir les oignons émincés dans 2 cuillerées à soupe d'huile d'olive, retirez-les et remplacez-les par les morceaux de poulet. Faites-les dorer (au besoin ajoutez 1 cuillerée à soupe d'huile) sur toutes les faces. Recommencez avec les blancs de poulet. Ôtez-les de la poêle et égouttez-les.

Remettez 1 cuillerée à soupe d'huile dans la sauteuse, ajoutez les oignons cuits, le poulet et les gousses d'ail pelées et écrasées. Versez le lait de coco et le curry, salez et poivrez. Couvrez d'eau à hauteur et laissez cuire 30 minutes à couvert, à feu moyen, puis ôtez le couvercle et faites cuire à nouveau 30 minutes à feu doux. Rectifiez l'assaisonnement. Hors du feu, ajoutez la moitié de la coriandre lavée, essorée et coupée grossièrement.

Préparez la sauce à la mangue : pelez et coupez les mangues en petits dés, arrosez-les du jus des citrons verts et parsemez du reste de la coriandre ciselée.

Servez avec du riz basmati et la sauce à la mangue à part.

VEAU AUX FÈVES
ET AUX OLIVES NOIRES

30 MINUTES

1 H 15

INGRÉDIENTS POUR 6 PERSONNES

5 tomates bien mûres
1 kg de noix de veau coupée en morceaux
3 cuillerées à soupe d'huile d'olive
10 oignons grelots
1 cuillerée à soupe d'ail haché surgelé
15 cl de vin blanc
20 olives noires dénoyautées
1 petite branche de romarin
1/4 de branche de céleri
300 g de fèves surgelées

Ébouillantez les tomates 30 secondes, puis pelez-les et épépinez-les. Coupez-les en dés. Réservez.

Dans une cocotte, faites dorer à feu moyen la viande sur toutes les faces dans 2 cuillerées à soupe d'huile d'olive. Salez et poivrez. Retirez ensuite la viande de la cocotte pour la réserver sur une assiette.

Jetez la graisse de cuisson de la cocotte et remplacez-la par 1 cuillerée à soupe d'huile d'olive pour y faire blondir les oignons grelots. Ajoutez l'ail et remettez la viande. Versez le vin blanc et incorporez les dés de tomates bien égouttés. Rectifiez l'assaisonnement avant d'ajouter les olives, le romarin et le céleri. Mouillez avec 10 cl d'eau et portez à ébullition. Couvrez et laissez cuire 30 minutes à feu doux, puis à nouveau 20 minutes sans couvercle. Cinq minutes avant la fin de la cuisson, ajoutez les fèves surgelées.

BROCHETTES DE POULET AU MIEL D'ACACIA

10 MINUTES + LAISSEZ MARINER 1 HEURE

10 MINUTES

INGRÉDIENTS POUR 4 PERSONNES

500 g de blancs de poulet
4 gousses d'ail
8 cuillerées à soupe de sauce de soja
4 cuillerées à soupe de miel d'acacia
1 cuillerée à soupe de vinaigre balsamique
1 cuillerée à soupe d'huile de sésame
16 tomates cerises
2 bananes

Préchauffez le four en position gril à 180 °C (thermostat 6).

Découpez les blancs de poulet en cubes.

Dans une jatte, mélangez l'ail pelé et écrasé, la sauce de soja, le miel d'acacia, le vinaigre balsamique et l'huile de sésame. Poivrez (ne salez pas car la sauce de soja l'est déjà). Laissez mariner les cubes de viande 1 heure au frais dans cette marinade.

Lavez et séchez les tomates. Épluchez les bananes et découpez-les en rondelles. Enfilez sur des brochettes les tomates, les morceaux de bananes et les cubes de poulet, en alternant. Faites cuire au four en retournant plusieurs fois les brochettes pour qu'elles dorent sur toutes les faces, jusqu'à ce que le poulet soit légèrement caramélisé. Servez avec du riz basmati.

ATTENTION

La plupart des sauces de soja vendues dans le commerce contiennent du gluten sous forme de froment ou autre. Il faut donc bien vérifier la composition de celle que vous achetez.

BROCHETTES D'AGNEAU AU CONCOMBRE

**15 MINUTES
+ LAISSEZ
MARINER
1 HEURE**

8 À 10 MINUTES

INGRÉDIENTS POUR 4 PERSONNES

400 g de gigot d'agneau désossé
4 gousses d'ail
2 branches de thym
4 feuilles de laurier
1 cuillerée à soupe de cumin moulu
le jus de 1 citron
2 cuillerées à soupe d'huile d'arachide
1 concombre
1 poivron rouge
2 oignons

Préchauffez le four en position gril à 200 °C (thermostat 7).

Découpez l'agneau en dés et mettez-le dans une jatte avec l'ail pelé et haché, le thym effeuillé, le laurier émietté, le cumin, le jus de citron et l'huile d'arachide. Mélangez bien. Laissez mariner au moins 1 heure au frais.

Pelez le concombre et détaillez-le en cubes. Lavez et épépinez le poivron, découpez-le en dés. Taillez les oignons en 8 quartiers.

Huilez les brochettes. Enfilez alternativement 1 morceau d'agneau, 1 cube de concombre, 1 dé de poivron et 1 quartier d'oignon. Faites cuire au four 4 à 5 minutes par face. Servez avec du quinoa ou du millet.

POULET SAUTÉ
AUX GERMES DE SOJA

15 MINUTES
+ LAISSEZ
MARINER
1 HEURE

7 MINUTES

INGRÉDIENTS POUR 4 PERSONNES

400 g de blancs de poulet
2 oignons rouges
8 gousses d'ail
150 g de champignons de Paris
300 g de germes de soja frais
5 cl d'alcool de riz
2 cuillerées à soupe d'huile d'arachide

Découpez les blancs de poulet en gros cubes. Pelez et hachez les oignons. Pelez et écrasez l'ail. Lavez les champignons et découpez-les en lamelles. Rincez et égouttez les germes de soja.

Mettez les dés de poulet dans une jatte avec l'ail et l'alcool de riz. Laissez mariner 1 heure.

Dans un grand wok, faites chauffer l'huile d'arachide. Quand elle commence à fumer, jetez-y les oignons pour les faire revenir jusqu'à ce qu'ils deviennent transparents. Ajoutez le poulet et sa marinade ainsi que les champignons. Salez et poivrez. Remuez constamment. Quand le poulet est cuit sur toutes les faces, ajoutez les germes de soja. Prolongez la cuisson d'environ 3 minutes en remuant toujours. Servez chaud, tel quel ou avec du riz cantonnais.

BROCHETTES DE POULET MARINÉES

15 MINUTES
+ LAISSEZ
MARINER
1 HEURE

15 MINUTES

INGRÉDIENTS POUR 4 PERSONNES

500 g de blancs de poulet
3 blancs de poireaux
le jus de 1 citron
5 cl de mirin
5 cl de saké
1 bouquet de citronnelle
2 cuillerées à soupe de graines de sésame

Préchauffez le four en position gril à 200 °C (thermostat 6).

Détaillez les blancs de poulet en dés et les blancs de poireaux en tronçons. Placez les dés de poulet dans une jatte avec le jus de citron, le mirin, le saké, la citronnelle ciselée et les graines de sésame. Laissez mariner 1 heure au frais.

Enfilez en alternance les morceaux de poulet et de blancs de poireaux sur les brochettes huilées. Faites cuire 15 minutes au four et servez.

LANIÈRES DE DINDE AU CUMIN ET À LA CORIANDRE FRAÎCHE

15 MINUTES

10 MINUTES

INGRÉDIENTS POUR 4 PERSONNES

500 g de blancs de dinde
1 cuillerée à soupe de concentré de tomates
4 tomates ou 1 petite boîte de tomates pelées
2 cuillerées à soupe d'huile d'arachide
1 bouquet de coriandre
1 cuillerée à café de cumin moulu
1 pincée de piment de Cayenne

Découpez les blancs de dinde en lanières. Dans un bol, diluez le concentré de tomates dans 10 cl d'eau. Si vous utilisez des tomates fraîches, rincez-les et découpez-les en petits dés.

Dans une cocotte, versez l'huile d'arachide. Quand elle est bien chaude, jetez-y les lanières de dinde avec la coriandre ciselée. Faites cuire 2 minutes en remuant constamment. Ajoutez le cumin et le piment de Cayenne. Remuez encore et prolongez la cuisson 5 minutes.

Terminez par les tomates égouttées et le concentré de tomates. Salez et poivrez. Baissez le feu et laissez réduire 10 minutes. Servez avec du riz thaï.

POULET PARFUMÉ AUX CINQ ÉPICES

20 MINUTES

55 MINUTES

INGRÉDIENTS POUR 4 PERSONNES

1 poulet
2 cuillerées à soupe d'huile d'arachide
3 branches de céleri
1 oignon piqué d'un clou de girofle
1 cuillerée à soupe de persil haché
1 cuillerée à café de curcuma
1 cuillerée à café de gingembre en poudre
1 cuillerée à café de cumin
1 cuillerée à café de noix de muscade
1 litre de bouillon de légumes
15 cl de crème fraîche
2 œufs

Coupez le poulet en morceaux. Versez l'huile d'arachide dans une cocotte. Quand elle est bien chaude, placez-y les morceaux de poulet et faites-les dorer sur toutes les faces.

Ajoutez le céleri coupé en tronçons, l'oignon et le persil. Laissez cuire 10 minutes avant d'incorporer les épices. Remuez bien, puis versez le bouillon, couvrez et continuer la cuisson pendant 45 minutes.

Retirez les morceaux de poulet et le céleri avec une écumoire. Réservez-les sur un plat, à l'entrée du four chaud.

Peu avant de servir, versez la crème fraîche et les œufs battus dans la cocotte. Mélangez bien pour lier la sauce. Versez cette dernière sur les morceaux de poulet et servez.

ATTENTION

Beaucoup de bouillons de légumes vendus dans le commerce contiennent du gluten : il vaut donc mieux en préparer un soi-même.

SAUTÉ D'AGNEAU À LA MENTHE

20 MINUTES

40 MINUTES

INGRÉDIENTS POUR 4 PERSONNES

800 g de gigot d'agneau désossé et dégraissé
1 oignon
4 gousses d'ail
2 cuillerées à soupe d'huile de tournesol
20 feuilles de menthe fraîche + 10 feuilles pour la décoration
15 cl de vin blanc sec
15 cl de crème fraîche
le jus de 1/2 citron

Découpez le gigot d'agneau en cubes. Pelez et hachez l'oignon. Pelez et écrasez l'ail.

Versez l'huile de tournesol dans une cocotte. Quand elle est bien chaude, faites-y dorer les morceaux d'agneau sur toutes les faces. Ajoutez l'oignon, l'ail, la menthe ciselée et le vin blanc. Couvrez et portez à ébullition. Baissez alors le feu et faites cuire 30 minutes.

En fin de cuisson, incorporez la crème fraîche et le jus de citron. Dressez dans un plat, parsemez des feuilles de menthe restantes et servez avec des pommes de terre sautées.

CÔTELETTES D'AGNEAU GLACÉES AU MIEL

**20 MINUTES
+ LAISSEZ
MARINER
2 HEURES**

15 MINUTES

INGRÉDIENTS POUR 4 PERSONNES

le jus de 1 orange
1 cuillerée à café de cannelle
la pointe d'un couteau de piment de Cayenne
2 cuillerées à soupe de miel liquide
2 gousses d'ail
8 côtelettes d'agneau

Dans une jatte, mélangez le jus d'orange, la cannelle, le piment de Cayenne, le miel liquide et l'ail pelé et écrasé. Salez et poivrez.

Placez les côtelettes d'agneau dans cette marinade et réservez 2 heures au frais en les retournant plusieurs fois.

Préchauffez le four en position gril à 180 °C (thermostat 6). Disposez les côtelettes sur une plaque recouverte de papier d'aluminium et faites-les cuire 5 à 7 minutes sur chaque face, en les arrosant régulièrement de marinade. Servez avec des flageolets aux petits lardons.

BŒUF THAÏ

20 MINUTES

1 HEURE

INGRÉDIENTS POUR 4 PERSONNES

600 g de bœuf à bourguignon
1 échalote
4 gousses d'ail
2 cuillerées à soupe d'huile d'arachide
1 cuillerée à soupe de cassonade
1 cuillerée à soupe de curry en poudre
2 cuillerées à soupe de sauce de soja
1 cuillerée à café de gingembre en poudre
30 cl de bouillon de légumes
1 yaourt bulgare

Dégraissez le bœuf si nécessaire et découpez-le en cubes. Pelez et hachez l'échalote, pelez et écrasez l'ail.

Versez l'huile d'arachide dans une cocotte. Quand elle commence à fumer, jetez-y les morceaux de bœuf pour les faire dorer sur toutes les faces. Ajoutez alors la cassonade, le curry, la sauce de soja et le gingembre. Salez et poivrez. Remuez. Versez ensuite le bouillon et le yaourt. Prolongez la cuisson 20 minutes à feu doux. Rectifiez l'assaisonnement et servez avec du riz thaï.

ATTENTION

Beaucoup de bouillons de légumes vendus dans le commerce contiennent du gluten :
il vaut donc mieux en préparer un soi-même.
La plupart des sauces de soja vendues dans le commerce contiennent du gluten sous
forme de froment ou autre. Il faut donc bien vérifier la composition de celle que vous
achetez.

BŒUF SATÉ AUX ARACHIDES

**20 MINUTES
+ LAISSEZ
MARINER
1 HEURE
AU MOINS**

10 MINUTES

INGRÉDIENTS POUR 4 PERSONNES

3 cuillerées à soupe de poudre de saté
1 cuillerée à soupe de cassonade
1 cuillerée à soupe de vinaigre
5 cuillerées à soupe d'huile d'arachide
1 filet de bœuf de 800 g environ
3 oignons

Dans une jatte, mélangez le saté, la cassonade, le vinaigre et 3 cuillerées à soupe d'huile d'arachide. Mélangez bien.

Détaillez le filet de bœuf en lamelles très fines. Disposez-les sur un plat et nappez-les de sauce au saté. Placez au moins 1 heure au frais.

Pendant ce temps, pelez et hachez les oignons pour les faire revenir à feu doux dans 1 cuillerée à soupe d'huile d'arachide, dans une cocotte. Réservez. Dans la même cocotte, versez le reste d'huile. Quand elle commence à fumer, jetez-y la viande et sa marinade ainsi que les oignons. Remuez sans cesse pendant 2 minutes. Servez avec du riz ou des légumes vapeur.

CUISSES DE CANARD AUX POMMES

15 MINUTES

15 MINUTES

INGRÉDIENTS POUR 4 PERSONNES

2 cuillerées à soupe d'huile de tournesol
4 cuisses de canard
10 cl de calvados
2 belles pommes à chair ferme
2 cuillerées à soupe de crème fraîche
1 petit bouquet de persil

Faites chauffer l'huile de tournesol dans une cocotte-minute pour y faire dorer les cuisses de canard sur toutes les faces. Flambez-les au calvados.

Salez et poivrez, puis ajoutez les pommes non pelées détaillées en quartiers. Versez 15 cl d'eau, fermez la cocotte et faites cuire 15 minutes à compter du chuchotement de la soupape.

Sortez les cuisses de canard de la cocotte et réservez-les au chaud. Faites réduire la sauce de moitié avant d'y ajouter la crème fraîche. Rectifiez l'assaisonnement si nécessaire. Disposez les cuisses de canard et les pommes sur un plat, saupoudrez de persil haché et servez bien chaud.

POISSONS
ET FRUITS DE MER

RIZ PILAF AUX MOULES ET AU CURRY

10 MINUTES

28 MINUTES

INGRÉDIENTS POUR 4 PERSONNES

2 échalotes
4 gousses d'ail
1 blanc de poireau
1 tomate
4 cuillerées à soupe d'huile d'arachide
1 cuillerée à soupe de curry
350 g de riz
1,5 kg de moules nettoyées
4 feuilles de laurier
1 branche de thym

Pelez et hachez les échalotes. Pelez et écrasez l'ail. Lavez le blanc de poireau et découpez-le en rondelles. Lavez la tomate et détaillez-la en cubes. Faites chauffer 15 cl d'eau dans une casserole.

Dans une cocotte, faites revenir dans l'huile d'arachide les échalotes et le poireau avec le curry. Laissez cuire 3 minutes en remuant sans cesse. Ajoutez la tomate et l'ail. Remuez encore 2 minutes.

Versez le riz et continuez de mélanger pendant 3 minutes. Mouillez avec l'eau chaude, puis incorporez les moules, le laurier et le thym. Salez et poivrez.

Couvrez et laissez cuire 20 minutes à feu doux. Rectifiez l'assaisonnement si nécessaire. Servez.

TIAN DE SAUMON AU COMTÉ

20 MINUTES

20 MINUTES

INGRÉDIENTS POUR 4 PERSONNES

400 g de saumon frais
3 tomates
4 échalotes
4 gousses d'ail
1 bouquet de persil
le jus de 1 citron
20 brins de ciboulette
3 cuillerées à soupe d'huile d'olive

Préchauffez le four à 210 °C (thermostat 7).

Rincez le saumon, essuyez-le et découpez-le en dés. Salez et poivrez.

Coupez les tomates en rondelles. Disposez-les dans un plat allant au four, en alternant avec le saumon.

Pelez et hachez l'échalote, pelez et écrasez l'ail. Lavez, essuyez et hachez le persil. Mélangez dans une jatte le jus de citron, l'huile d'olive, l'échalote, l'ail, la ciboulette et le persil. Versez le tout dans le plat et enfournez pour 20 minutes.

SOUPE DE CREVETTES
À LA CORIANDRE

20 MINUTES

13 MINUTES

INGRÉDIENTS POUR 4 PERSONNES

400 g de crevettes roses décortiquées fraîches ou surgelées
100 g de petits pois frais ou surgelés
2 échalotes
4 gousses d'ail
1 bouquet de coriandre + quelques feuilles pour la décoration
10 feuilles de citronnelle
20 petits épis de maïs au vinaigre (vendus en bocal)
2 cuillerées à soupe d'huile d'arachide
40 cl de lait de coco
1 litre de bouillon de légumes
le jus de 1 citron

Décongelez les crevettes et les petits pois si nécessaire. Pelez et hachez les échalotes et l'ail. Ciselez la coriandre et la citronnelle. Rincez et égouttez les épis de maïs.

Faites chauffer l'huile d'arachide dans une cocotte pour y faire revenir les échalotes et l'ail. Remuez constamment pendant 3 minutes. Versez le lait de coco et le bouillon, puis portez à ébullition. Ajoutez les petits pois et les épis de maïs coupés en deux si nécessaire. Faites cuire 5 minutes à petits bouillons. Incorporez alors le jus de citron, la coriandre et la citronnelle, puis les crevettes. Poursuivez la cuisson 5 minutes. Parsemez des feuilles de coriandre ciselées restantes et servez sans attendre.

ATTENTION

Beaucoup de bouillons de légumes vendus dans le commerce contiennent du gluten :
il vaut donc mieux en préparer un soi-même.

FILETS DE ROUGET AU LAURIER ET AU ROMARIN

20 MINUTES

45 MINUTES

INGRÉDIENTS POUR 4 PERSONNES

400 g de filets de rougets
4 cuillerées à soupe d'huile d'olive
15 cl de bouillon de légumes
4 tomates
2 oignons
4 gousses d'ail
8 feuilles de jeune laurier
2 belles branches de romarin
15 cl de vin blanc
1 petit bouquet de persil plat

Préchauffez le four à 180 °C (thermostat 6).

Rincez les filets de rougets et épongez-les. Ôtez les arêtes avec une pince à épiler. Placez-les dans un plat creux, salez et poivrez, arrosez de 3 cuillerées à soupe d'huile d'olive et versez le bouillon de légumes. Enfournez pour 20 minutes.

Pendant ce temps, concassez les tomates, pelez et hachez les oignons et l'ail. Versez 1 cuillerée à soupe d'huile d'olive dans une cocotte pour y faire revenir les oignons et l'ail pendant 3 minutes en remuant. Ajoutez le laurier, le romarin et les tomates. Salez et poivrez, remuez, puis mouillez avec le vin blanc.

Laissez cuire 20 minutes à petits bouillons en remuant souvent, ôtez les feuilles de laurier et les branches de romarin, puis passez le tout au mixeur. Disposez les filets de rougets sur un plat de service, nappez-les de sauce tomate, décorez de persil haché et servez.

ATTENTION

Beaucoup de bouillons de légumes vendus dans le commerce contiennent du gluten : il vaut donc mieux en préparer un soi-même.

TARTARE DE SAUMON AU FROMAGE DE CHÈVRE FRAIS

20 MINUTES
(À PRÉPARER LA VEILLE)

PAS DE CUISSON

INGRÉDIENTS POUR 4 PERSONNES

400 g de filets de saumon frais sans la peau
20 brins de ciboulette
1 petit bouquet de persil
quelques feuilles de cerfeuil
20 feuilles de basilic
1 cuillerée à soupe de vinaigre de framboise
1 grosse cuillerée à soupe de crème fraîche
100 g de fromage de chèvre frais
quelques brins d'aneth pour la décoration

Découpez les filets de saumon en dés et placez-les dans une jatte.

Lavez, essuyez et ciselez toutes les herbes. Ajoutez-les au saumon. Salez et poivrez.

Incorporez enfin le vinaigre de framboise, la crème fraîche et le fromage de chèvre frais écrasé à la fourchette. Mélangez bien.

Placez au frais toute une nuit. Le lendemain, servez à l'assiette, décoré de brins d'aneth.

CREVETTES PIMENTÉES AU MELON

15 MINUTES

10 MINUTES

INGRÉDIENTS POUR 4 PERSONNES

400 g de crevettes roses décortiquées fraîches ou surgelées
100 g de petits pois frais ou surgelés
1 pomme
1 petit melon
1 cuillerée à soupe d'huile de tournesol
1 cuillerée à soupe de cassonade
1 branche d'estragon
la pointe d'un couteau de piment de Cayenne
3 gouttes de Tabasco

Décongelez les crevettes et les petits pois si nécessaire. Pelez la pomme et détaillez-la en dés. Découpez également la chair du melon en dés.

Faites chauffer l'huile de tournesol dans un wok. Jetez-y la pomme et la cassonade. Mouillez avec un peu d'eau si la préparation menace de brûler.

Ajoutez les crevettes, les petits pois et les dés de melon. Remuez. Incorporez enfin l'estragon, le piment de Cayenne et le Tabasco. Salez et poivrez.

Servez avec du quinoa et un coulis de tomates fraîches.

ACRAS DE MORUE
À LA FARINE DE CHÂTAIGNE

**20 MINUTES
+ LAISSEZ
DESSALER
4 HEURES**

**3 MINUTES
PAR LOT DE
BEIGNETS**

INGRÉDIENTS POUR 4 PERSONNES

250 g de morue
1 litre d'huile d'arachide pour la friture
1 oignon
2 gousses d'ail
1 pincée de piment de Cayenne
1 bouquet de persil
250 g de farine de châtaigne
2 œufs
15 cl de lait
2 citrons

Plongez la morue dans une grande quantité d'eau froide pendant 4 heures. Après ce temps, ôtez les arêtes et la peau si nécessaire.

Faites chauffer l'huile d'arachide pour la friture.

Pelez l'oignon et l'ail. Mixez-les avec le piment, le persil et la chair de la morue. Poivrez.

Placez cette préparation dans une jatte. Ajoutez la farine, les œufs et le lait. Mélangez pour obtenir une pâte ni trop liquide ni trop épaisse.

Prélevez des cuillerées à soupe de cette pâte et faites-les tomber dans l'huile bouillante. Laissez frire chaque lot d'acras 2 à 3 minutes. Égouttez-les sur du papier absorbant et maintenez au chaud à l'entrée du four pendant que vous préparez le reste des acras. Servez avec des quartiers de citron.

COLIN AU PIMENT PANÉ
À LA FARINE DE QUINOA

15 MINUTES

10 MINUTES

INGRÉDIENTS POUR 4 PERSONNES

4 tranches de colin
2 cuillerées à soupe de farine de quinoa
2 tomates
2 oignons
1 échalote
4 gousses d'ail
1 piment vert
2 cuillerées à soupe d'huile d'olive
1 bouquet de persil
15 cl de bouillon de légumes

Coupez les tranches de colin en gros cubes et passez-les dans la farine de quinoa. Concassez les tomates. Pelez et hachez les oignons et l'échalote. Pelez et écrasez l'ail.

Dans un mortier, pilez ensemble l'ail et le piment vert. Salez et poivrez.

Versez l'huile d'olive dans une cocotte. Quand elle est bien chaude, faites-y revenir les oignons, l'échalote et la pâte d'ail et de piment. Ajoutez les tomates et la moitié du persil ciselé. Couvrez et faites cuire 5 minutes à feu moyen. Ajoutez les dés de colin et prolongez la cuisson encore 5 minutes. Mouillez au bouillon de légumes, puis laissez réduire la sauce de moitié. Disposez le poisson et la sauce dans un plat de service creux, saupoudrez du reste de persil haché et servez.

ATTENTION

Beaucoup de bouillons de légumes vendus dans le commerce contiennent du gluten : il vaut donc mieux en préparer un soi-même.

JAMBALAYA AUX CREVETTES

30 MINUTES

40 MINUTES

INGRÉDIENTS POUR 4 PERSONNES

4 oignons
4 gousses d'ail
1 poivron vert
1 poivron rouge
4 cuillerées à soupe d'huile d'arachide
350 g de riz
500 g de tomates
4 gouttes de Tabasco
1 branche de thym
quelques feuilles de laurier
10 cl de bouillon de légumes
500 g de crevettes
1 cuillerée à soupe d'huile de sésame

Pelez et hachez les oignons, pelez et écrasez l'ail, épépinez les poivrons et coupez-les grossièrement.

Versez l'huile d'arachide dans une cocotte. Quand elle est bien chaude, jetez-y les oignons et l'ail, remuez et laissez cuire 3 minutes. Ajoutez le riz, remuez encore 3 minutes, puis incorporez les tomates concassées. Mélangez bien, salez et poivrez, ajoutez le Tabasco, le thym et le laurier. Mouillez avec le bouillon de légumes. Faites cuire à couvert 30 minutes environ.

Cinq minutes avant de servir, faites sauter à feu vif les crevettes dans un wok, dans l'huile de sésame fumante. Ajoutez-les ensuite au riz et laissez cuire encore 5 minutes en remuant. Servez aussitôt.

ATTENTION

Beaucoup de bouillons de légumes vendus dans le commerce contiennent du gluten : il vaut donc mieux en préparer un soi-même.

BROCHETTES DE LOTTE MARINÉES À LA VODKA

30 MINUTES
+ LAISSEZ
MARINER
1 HEURE

15 MINUTES

INGRÉDIENTS POUR 4 PERSONNES

400 g de lotte
24 champignons de Paris
24 tomates cerises
2 oignons

Pour la marinade :
2 cuillerées à soupe de vodka (type Zubrowka ou Kasprowy)
2 cuillerées à soupe d'huile d'amandes douces grillées
1 cuillerée à soupe de vinaigre aromatisé à l'échalote
1 cuillerée à soupe de jus de citron
20 feuilles de coriandre
1 cuillerée à soupe d'aneth hachée
4 gousses d'ail
1 cuillerée à café de moutarde à l'ancienne

Découpez les filets de lotte en dés de 2,5 cm environ. Préparez la marinade en mélangeant tous les ingrédients dans une jatte. Placez-y les dés de lotte. Laissez mariner au moins 1 heure à température ambiante. Après 45 minutes, allumez votre four en position gril à 200 °C (thermostat 7).

Pendant ce temps, lavez les champignons de Paris, ôtez la partie terreuse du pied et découpez-les en deux dans la hauteur. Lavez les tomates cerises et égouttez-les. Découpez les oignons en quartiers, que vous recouperez en deux.

Enfilez alternativement sur des brochettes huilées 1 morceau de lotte, 1 champignon, 1 tomate cerise et 1 morceau d'oignon. Posez les brochettes sur une grille, au-dessus de la lèchefrite pour éviter les coulures. Faites cuire 15 minutes. Arrosez de marinade à mi-cuisson. Servez avec du riz et des brocolis.

CREVETTES SAUTÉES AU CUMIN ET AU GINGEMBRE

15 MINUTES

6 MINUTES 30 SECONDES

INGRÉDIENTS POUR 4 PERSONNES

1 poivron rouge
2 échalotes
30 brins de ciboulette
2 cuillerées à soupe d'huile d'arachide
1 cuillerée à soupe de racine de gingembre pelée et hachée
500 g de crevettes roses décortiquées fraîches ou surgelées
1 cuillerée à café bombée de cumin moulu
130 g de grains de maïs en boîte

Lavez et épépinez le poivron, puis détaillez-le en lanières. Pelez et hachez les échalotes. Lavez, essuyez et ciselez la ciboulette.

Faites chauffer l'huile d'arachide dans une cocotte pour y faire revenir le gingembre 30 secondes à feu vif sans cesser de remuer. Ajoutez les échalotes et le poivron. Remuez encore 3 minutes. Incorporez alors les crevettes, le cumin, le maïs et la ciboulette. Salez et poivrez. Prolongez la cuisson de 3 minutes et servez avec du millet ou du riz thaï.

RIZ GRATINÉ
AUX DEUX SAUMONS

15 MINUTES

se référer aux
instructions
figurant sur
l'emballage pour
le riz +
25 MINUTES

INGRÉDIENTS POUR 4 PERSONNES

4 filets de saumon
1 cuillerée à soupe d'huile d'olive
2 échalotes
250 g de riz
25 cl de crème fraîche
2 yaourts bulgares
20 brins de ciboulette
1 cuillerée à café de noix de muscade moulue
1 cuillerée à soupe de persil haché

Préchauffez le four à 200 °C (thermostat 7).

Découpez les filets de saumon en dés et faites-les sauter à la poêle dans l'huile d'olive, avec les échalotes pelées et hachées.

Faites cuire le riz en suivant les instructions figurant sur l'emballage. Rincez-le et égouttez-le bien.

Dans une jatte, battez avec un fouet à main la crème fraîche, les yaourts, la ciboulette et la noix de muscade. Salez et poivrez. Mélangez dans un autre récipient le riz et le saumon avant d'étaler la préparation dans un plat à gratin. Nappez du mélange à base de crème. Faites gratiner 15 à 20 minutes au four. Saupoudrez de persil et servez.

DESSERTS

POMMES À LA CRÈME D'AMANDES

5 MINUTES

15 MINUTES

INGRÉDIENTS POUR 4 PERSONNES

2 pommes
25 cl de crème fleurette
50 g d'amandes en poudre
2 œufs

Préchauffez le four à 180 °C (thermostat 6).

Pelez les pommes, coupez-les en quatre et émincez-les finement.

Mélangez la crème, les amandes en poudre et les œufs dans une jatte. Répartissez la préparation dans quatre ramequins beurrés et disposez les lamelles de pommes par-dessus.

Mettez au four 15 minutes environ. Servez aussitôt.

GÂTEAU AUX POMMES SANS FARINE

30 MINUTES

2 HEURES

INGRÉDIENTS POUR 6 PERSONNES

Pour le caramel :
200 g de sucre en poudre
10 cl d'eau

Pour le gâteau :
3 kg de pommes de variétés différentes
160 g de sucre en poudre
150 g de beurre mou détaillé en parcelles
5 œufs entiers

Préparez le caramel : faites fondre le sucre et 10 cl d'eau dans une petite casserole et portez à ébullition jusqu'à obtention d'un caramel doré. Versez-le dans un moule en le répartissant bien sur le fond et sur les parois. Laissez refroidir.

Préparez ensuite le gâteau : préchauffez le four à 150 °C (thermostat 5). Pelez les pommes, coupez-les en quatre, épépinez-les, détaillez-les en petits morceaux et mettez-les à cuire 10 minutes à feu très doux et à couvert. Mouillez avec un peu d'eau pour éviter qu'elles n'attachent. Retirez le couvercle, ajoutez le sucre sans cesser de remuer et poursuivez la cuisson jusqu'à évaporation du liquide.

Ajoutez hors du feu le beurre morceau par morceau, puis les œufs un à un, en mélangeant sans cesse. Versez sur le caramel dans le moule. Mettez à cuire 2 heures au four dans un bain-marie. Laissez refroidir complètement le gâteau avant de le démouler.

CONFIT DE POMMES

15 MINUTES

2 H 30

INGRÉDIENTS POUR 6 À 8 PERSONNES

2 kg de pommes acidulées (reine des reinettes)
800 g de sucre en poudre environ
25 cl d'eau

Lavez et coupez les pommes en quartiers en gardant la peau et les pépins. Mettez-les dans un grand faitout ou une bassine à confiture, ajoutez 15 cl d'eau, portez à ébullition et laissez cuire 1 h 30 à feu doux.

Passez les pommes cuites dans un moulin à légumes (grille moyenne). Pesez la purée obtenue, ajoutez la moitié du poids en sucre et les 10 cl d'eau restants, remettez dans le faitout et laissez mijoter à nouveau 1 heure.

Versez aussitôt le confit de pommes dans des pots à confiture ou des bocaux préalablement ébouillantés. Fermez-les et retournez-les jusqu'à ce qu'ils soient complètement refroidis.

CHARLOTTE AU CHOCOLAT

**20 MINUTES
(À PRÉPARER
LA VEILLE)**

10 MINUTES

INGRÉDIENTS POUR 6 PERSONNES

10 cl d'eau

3 cuillerées à soupe de rhum vieux

16 biscuits à la cuillère sans gluten

125 g de chocolat noir à 65 % de cacao

125 g de beurre mou

3 œufs extra-frais

125 g de crème liquide entière

Faites tiédir l'eau dans une petite casserole, puis versez hors du feu 2 cuillerées à soupe de rhum, mélangez et trempez-y les biscuits pour les imbiber sur un seul côté. Disposez-les sur le fond et les parois d'un moule à charlotte. Réservez.

Sur une planche à découper, râpez le chocolat avec la lame d'un grand couteau. Faites-le fondre ensuite à feu doux au bain-marie, avec une noix de beurre et le reste du rhum. Ajoutez le beurre restant et travaillez énergiquement avec une cuillère en bois.

Cassez les œufs et séparez les blancs des jaunes. Quand le chocolat est fondu et lisse, retirez la casserole du feu et incorporez les jaunes.

Montez la crème bien froide en chantilly ferme et incorporez-la délicatement à la préparation au chocolat.

Battez les blancs en neige très ferme avec 1 pincée de sel avant de les introduire en deux fois dans le mélange au chocolat, en veillant à bien soulever la préparation.

Versez le tout dans le moule à charlotte. Mettez au frais jusqu'au lendemain.

GRATIN DE FRUITS ROUGES

15 MINUTES

50 MINUTES

INGRÉDIENTS POUR 6 PERSONNES

3 jaunes d'œufs extra-frais
60 g de sucre en poudre
15 cl de crème entière liquide
50 g d'amandes en poudre
1 cuillerée à café de Maïzena
250 g de griottes surgelées
250 g de framboises surgelées
sucre glace sans gluten (sucre glace « pur sucre »)

Préchauffez le four à 180 °C (thermostat 6).

Fouettez au batteur électrique les jaunes d'œufs et le sucre en poudre jusqu'à ce que le mélange augmente de volume et blanchisse. Faites chauffer la crème dans une casserole. Dès qu'elle bout, versez-la sur le mélange œufs-sucre en fouettant vivement. Ajoutez les amandes en poudre et la Maïzena. Remettez le tout dans la casserole et faites chauffer de nouveau en remuant jusqu'à ébullition. Retirez du feu et continuez à tourner pendant 1 minute. Réservez.

Beurrez généreusement un plat à gratin. Disposez les griottes et les framboises surgelées au fond et versez la crème par-dessus. Enfournez pour 40 minutes. Avant de servir, saupoudrez d'un voile de sucre glace.

CAKE AUX NOISETTES GRILLÉES

20 MINUTES

30 MINUTES

INGRÉDIENTS POUR 4 PERSONNES

100 g de beurre
100 g de noisettes
150 g de cassonade
4 œufs
200 g de farine de quinoa
20 g de levure de boulanger
100 g de pépites de chocolat « pur » chocolat
5 gouttes d'extrait d'amandes amères
2 cuillerées à café d'extrait naturel de vanille

Faites fondre le beurre à feu très doux dans une petite casserole. Pendant ce temps, concassez grossièrement les noisettes et faites-les griller à sec dans une poêle antiadhésive. Dans une jatte, mélangez le beurre fondu et la cassonade pour obtenir une préparation homogène. Ajoutez les œufs entiers, la farine, la levure, les pépites de chocolat, les noisettes grillées, l'arôme d'amandes amères et l'extrait naturel de vanille. Remuez bien.

Préchauffez le four à 180 °C (thermostat 6). Pendant ce temps, laissez lever la pâte 10 minutes environ. Quand le four est chaud, versez la pâte dans un moule à cake huilé et fariné à l'aide de farine de quinoa. Faites cuire au four 30 minutes environ, jusqu'à ce que le cake prenne une belle couleur dorée. Servez tiède ou froid.

ENTREMETS VANILLÉ
AU TAPIOCA

**35 MINUTES
+ LAISSEZ AU
FRAIS
2 HEURES**

INGRÉDIENTS POUR 4 PERSONNES

1/2 litre de lait + 1 cuillerée à soupe
1 gousse de vanille
3 cuillerées à soupe de tapioca
2 œufs
4 cuillerées à soupe de sucre

5 MINUTES

Dans une casserole, faites bouillir le lait avec la gousse de vanille que vous aurez fendue dans la longueur. Versez le tapioca et laissez cuire à petits bouillons pendant 3 minutes, en remuant constamment. Coupez le feu.

Cassez les œufs et séparez les blancs des jaunes. Battez les jaunes avec 2 cuillerées à soupe de sucre et la cuillerée à soupe de lait restante. La préparation doit blanchir légèrement. Versez-la dans la casserole et faites épaissir 2 minutes en remuant constamment. Transférez cette crème dans une grande jatte et laissez refroidir 30 minutes environ, en remuant de temps en temps.

À l'issue de ce temps, montez les blancs en neige très ferme avec 1 pincée de sel et incorporez les 2 cuillerées à soupe de sucre restantes. Ajoutez les blancs battus dans la jatte en mélangeant délicatement. Placez au frais 2 heures au moins avant de servir.

GÂTEAU À LA FARINE DE CHÂTAIGNE ET AUX AMANDES

15 MINUTES

30 MINUTES

INGRÉDIENTS POUR 6 À 8 PERSONNES

175 g de beurre
200 g de cassonade
125 g de farine de châtaigne
150 g d'amandes en poudre
1 cuillerée à café d'extrait naturel de vanille
8 blancs d'œufs

Préchauffez le four à 180 °C (thermostat 6).

Dans une casserole, faites fondre le beurre à feu très doux, puis versez-le dans une jatte. Ajoutez la cassonade et travaillez-la avec le beurre. Dans une autre jatte, mélangez la farine de châtaigne, les amandes en poudre et l'extrait naturel de vanille.

Battez les blancs en neige très ferme avec 1 pincée de sel. Incorporez alternativement au mélange beurre-sucre le mélange farine-amandes et les blancs en neige. Versez dans un moule rond et enfournez pour 30 minutes.

Démoulez sur une grille et laissez refroidir. Servez tel quel ou accompagné d'une crème anglaise faite maison.

CAKE AUX AMANDES
ET AUX ORANGES CONFITES

15 MINUTES

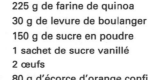

1 HEURE

INGRÉDIENTS POUR 8 PERSONNES

150 g de beurre
225 g de farine de quinoa
30 g de levure de boulanger
150 g de sucre en poudre
1 sachet de sucre vanillé
2 œufs
80 g d'écorce d'orange confite
quelques zestes d'orange
80 g d'amandes

Préchauffez le four à 160 °C (thermostat 5).

Faites fondre le beurre dans une petite casserole.

Dans une jatte, mélangez la farine de quinoa et la levure. Ajoutez 1 pincée de sel, le beurre fondu, le sucre, le sucre vanillé et les œufs entiers. Mélangez avec un fouet jusqu'à obtenir une préparation homogène.

Hachez l'écorce d'orange confite et les zestes d'orange. Concassez grossièrement les amandes et faites-les griller à sec dans une poêle antiadhésive. Ajoutez le tout dans la jatte. Versez ensuite la pâte dans un moule à cake huilé et fariné à l'aide de farine de quinoa et laissez cuire 1 heure au four. Démoulez sur une grille et dégustez tiède ou froid.

FONDANT AU CHOCOLAT

15 MINUTES

30 MINUTES

INGRÉDIENTS POUR 6 PERSONNES

100 g de chocolat noir à 85 ou 99 % de cacao
125 g de beurre
200 g de sucre en poudre
3 œufs
180 g de Maïzena
25 g de levure de boulanger

Préchauffez le four à 160 °C (thermostat 5).

Faites fondre séparément le chocolat et le beurre dans deux petites casseroles.

Dans une jatte, mélangez le beurre fondu et le sucre avec une cuillère en bois. Ajoutez les œufs, la Maïzena, la levure et le chocolat fondu.

Versez la préparation dans un moule rond huilé et fariné à l'aide d'une farine sans gluten. Enfournez pour 30 minutes environ.

DÉLICE POIRES, AMANDES ET CHOCOLAT

20 MINUTES

40 MINUTES

INGRÉDIENTS POUR 6 À 8 PERSONNES

200 g de chocolat noir pâtissier (« pur » chocolat)
100 g de beurre
5 œufs
50 g de sucre
1 cuillerée à soupe de fécule de pommes de terre
125 g d'amandes en poudre
20 g de levure de boulanger
1 grande boîte de poires au sirop

Préchauffez le four à 180 °C (thermostat 6).

Faites fondre séparément le chocolat et le beurre dans deux petites casseroles. Coupez le feu.

Battez les œufs. Quand le chocolat a tiédi, incorporez les œufs, puis le beurre. Ajoutez le sucre, la fécule, les amandes en poudre et la levure. Mélangez bien jusqu'à obtenir une préparation homogène.

Égouttez les poires et rincez-les. Découpez-les en lamelles. Incorporez-les délicatement au mélange au chocolat.

Versez la préparation dans un moule huilé et fariné (à la farine de quinoa, de riz ou toute autre farine sans gluten). Faites cuire pendant 40 minutes.

TARTE AUX PÊCHES ET À LA VANILLE

20 MINUTES

40 MINUTES

INGRÉDIENTS POUR 6 À 8 PERSONNES

1 pâte sablée sans gluten
400 g de pêches au sirop
60 g de cassonade
1 cuillerée à soupe d'extrait naturel de vanille
1 cuillerée à soupe d'eau
3 cuillerées à soupe de crème fraîche
2 cuillerées à soupe de fromage blanc
1 œuf

Préchauffez le four à 160 °C (thermostat 5).

Abaissez la pâte au rouleau et placez-la sur une feuille de papier sulfurisé, dans un moule à tarte.

Rincez et égouttez les pêches, puis détaillez-les en lamelles. Placez-les dans une casserole antiadhésive avec la cassonade, l'extrait naturel de vanille et 1 cuillerée à soupe d'eau. Faites cuire environ 20 minutes, jusqu'à ce qu'elles caramélisent.

Dans une jatte, mélangez la crème fraîche, le fromage blanc, l'œuf et 1 pincée de sel.

Disposez les pêches caramélisées sur la pâte à tarte. Nappez du jus contenu dans la casserole et recouvrez de la préparation à base de crème fraîche. Enfournez pour 20 minutes.

SABLÉS AUX NOIX
ET À LA FARINE DE CHÂTAIGNE

20 MINUTES

10 À 15 MINUTES

INGRÉDIENTS POUR 6 PERSONNES

1 œuf
125 g de cassonade
250 g de farine de châtaigne
125 g de beurre
150 g de noix

Cassez l'œuf dans une jatte. Mélangez-le au fouet avec la cassonade et 1 pincée de sel jusqu'à ce que la préparation blanchisse. Ajoutez progressivement la farine de châtaigne, puis mélangez bien pour obtenir une pâte sableuse.

Faites fondre le beurre dans une casserole. Concassez grossièrement les noix et faites-les griller à sec dans une poêle antiadhésive.

Incorporez à la pâte le beurre fondu et les noix grillées. Travaillez à la main pour former une boule, puis abaissez-la au rouleau sur le plan de travail légèrement fariné à l'aide d'une farine sans gluten. Découpez des sablés à l'aide d'un emporte-pièce. Placez les sablés sur une plaque beurrée ou recouverte de papier d'aluminium et faites cuire 10 à 15 minutes au four. Laissez refroidir avant de servir.

CONGOLAIS HYPER-MOELLEUX

15 MINUTES

25 MINUTES

INGRÉDIENTS POUR UNE QUINZAINE DE CONGOLAIS

2 œufs
200 g de noix de coco râpée
50 g de farine de riz
100 g de miel d'acacia
1 sachet de sucre vanillé

Préchauffez le four à 160 °C (thermostat 5).

Cassez les œufs et séparez les blancs des jaunes. Dans une jatte, mélangez les jaunes avec la noix de coco râpée et la farine. Ajoutez le miel d'acacia. Mélangez bien.

Dans une autre jatte, battez les blancs en neige ferme avec 1 pincée de sel. Incorporez délicatement le sucre vanillé, puis versez en deux fois les blancs en neige sur les jaunes en mélangeant très délicatement.

Beurrez une plaque allant au four. Déposez-y de petits monticules de pâte, suffisament éloignés les uns des autres pour qu'ils ne se touchent pas en cuisant. Faites cuire et dégustez tiède ou froid.

CRUMBLE POMME-CANNELLE

10 MINUTES

25 MINUTES

INGRÉDIENTS POUR 6 PERSONNES

3 pommes à chair fondante
75 g de farine de châtaigne
75 g de farine de maïs
75 g de beurre
100 g de cassonade
1 cuillerée à soupe de cannelle en poudre

Préchauffez le four à 180 °C (thermostat 6).

Pelez les pommes et épépinez-les. Détaillez-les en lamelles. Dans une jatte, mélangez les deux farines. Ajoutez le beurre en petites parcelles, la cassonade et la cannelle.

Pétrissez à la main pour obtenir une pâte sableuse. Huilez et farinez à l'aide d'une farine sans gluten un moule à crumble en terre cuite. Placez-y les lamelles de pommes et disposez la pâte par-dessus. Enfournez pour 25 minutes environ, jusqu'à ce que le crumble prenne une jolie couleur.

CLAFOUTIS AUX ABRICOTS ET AU MIEL DE ROMARIN

15 MINUTES

50 MINUTES

INGRÉDIENTS POUR 4 À 6 PERSONNES

50 cl de lait
3 œufs
50 g de cassonade
25 g de miel de romarin
50 g de farine de quinoa
1 cuillerée à café de racine de gingembre pelée et hachée
500 g d'abricots dénoyautés

Faites chauffer le lait dans une casserole.

Pendant ce temps, mélangez au fouet les œufs entiers avec la cassonade, le miel et 1 pincée de sel. Ajoutez la farine de quinoa et le gingembre, mélangez encore au fouet pour éviter la formation de grumeaux, puis versez le lait chaud.

Disposez les oreillons d'abricots à plat dans un plat à clafoutis beurré. Versez la crème par-dessus. Faites cuire 50 minutes au four et servez tiède.

CRÈME CARAMEL

30 MINUTES

30 MINUTES

INGRÉDIENTS POUR 6 PERSONNES

Pour le caramel :
200 g de sucre en poudre
10 cl d'eau

Pour la crème :
1 litre de lait entier
1 gousse de vanille
5 œufs entiers + 3 jaunes
150 g de sucre en poudre

Préparez le caramel : faites chauffer le sucre et l'eau dans une petite casserole à fond épais jusqu'à obtention d'une couleur ambrée. Retirez aussitôt du feu. Versez le caramel dans un moule à manqué en inclinant ce dernier dans tous les sens pour napper le fond et les parois. Laissez durcir.

Préparez la crème : préchauffez le four à 150 °C (thermostat 5).

Faites bouillir le lait avec la gousse de vanille que vous aurez préalablement fendue dans la longueur. Dans un bol, fouettez au batteur électrique les œufs entiers et les jaunes avec le sucre. Ajoutez le lait en filet, en remuant doucement, puis versez la crème dans le moule.

Posez le moule dans un grand plat, versez de l'eau dans ce dernier, jusqu'à mi-hauteur, et enfournez pour 30 minutes environ. Pour vérifier la cuisson, piquez la pointe d'un couteau dans la crème : elle doit ressortir sèche. Sortez la crème du four et laissez-la refroidir.

MOUSSE AU CHOCOLAT SANS SUCRE

**5 MINUTES
+ LAISSEZ AU
FRAIS
5 HEURES**

10 MINUTES

INGRÉDIENTS POUR 6 PERSONNES

200 g de chocolat noir riche en cacao (« pur » chocolat)
20 g de beurre
6 œufs

Cassez le chocolat en petits morceaux et faites-le fondre au bain-marie avec le beurre. Cassez les œufs et séparez les blancs des jaunes.

Versez le chocolat fondu dans une jatte et ajoutez les jaunes d'œufs un à un.

Montez les blancs en neige avec 1 pincée de sel, puis incorporez-les délicatement au chocolat, en soulevant la préparation. Recouvrez d'un film alimentaire et mettez au frais 5 heures avant de servir.

PETIT GUIDE DES ALIMENTS AUTORISÉS ET DÉFENDUS POUR UN RÉGIME BIEN SUIVI*

VIANDES

Autorisées : toutes les viandes fraîches ou surgelées au naturel (y compris les volailles et les gibiers), les viandes cuisinées maison avec des produits sans gluten.
Défendues : toutes les conserves de viandes, les viandes cuisinées (traiteur, surgelés, etc.).

POISSONS ET COQUILLAGES

Autorisés : tous les poissons frais, surgelés, salés, fumés, au naturel, les poissons cuisinés maison avec des produits sans gluten, les poissons en conserve au naturel, à l'huile ou au vin blanc, les crustacés et mollusques frais, surgelés et en conserve au naturel, les œufs de poisons.
Défendus : tous les poissons panés, farinés avec des farines contenant du gluten, les poissons cuisinés (traiteur, surgelés, etc.).

CHARCUTERIES

Autorisées : jambon blanc ou fumé, terrines et pâtés maison contenant de la mie de pain, des farines sans gluten et épices en poudre pures.
Défendues : toutes les charcuteries du commerce (chair à saucisse, farces, etc.).

ŒUFS

Autorisés : tous les œufs.

LAITAGES

Autorisés : tous les laits nature (entier, demi-écrémé, écrémé, frais ou UHT), les yaourts, les petits suisses et les fromages blancs nature, tous les fromages à pâte molle et à pâte cuite.
Défendus : les fromages à pâte persillée.

CÉRÉALES

Autorisées : le riz et ses produits dérivés (complet, farine, crème de riz, eau de riz, galettes de riz soufflé, etc.) ne contenant pas d'autres céréales, le millet, le maïs et ses produits dérivés (Maïzena, polenta, etc.), le manioc et ses produits dérivés (tapioca, perles du Japon, etc.), le sarrasin et ses produits dérivés (farine, kacha, etc.), la châtaigne et ses produits dérivés (marrons au naturel, farine, crème, purée, etc.), le soja, le quinoa, l'avoine, la fécule de pommes de terre, les céréales pour le petit déjeuner ne contenant pas de gluten.
Défendues : le blé (froment, épeautre, kammut), l'orge, le seigle et tous ses produits dérivés (farine, amidon, amidon modifié, pains, etc.) ou fabriqués à partir de ces céréales (pâtes, biscottes, viennoiseries, chapelure, pâtisseries, etc.), le riz sauvage.

* Cette liste n'est pas exhaustive. Assurez-vous toujours que les produits que vous achetez ne contiennent pas de gluten en lisant attentivement les étiquettes.

LÉGUMES

Autorisés : tous les légumes frais, secs (lentilles, pois chiches, pois cassés, etc.), en conserve ou surgelés au naturel, les légumes cuisinés maison avec des produits sans gluten, les pommes de terre fraîches, sous-vide ou précuites (frites, chips, etc.), sous réserve qu'elles ne contiennent pas de gluten, certains légumes cuisinés du commerce sous réserve qu'ils ne contiennent pas de gluten.
Défendus : les légumes cuisinés (traiteur, surgelés, conserves, etc.) qui contiennent du gluten, les pommes dauphines.

FRUITS

Autorisés : tous les fruits frais, au sirop, en conserve, et les compotes au naturel, les fruits secs grillés à sec (amandes, noix, noisettes, noix de cajou, etc.), les fruits confits.
Défendus : les fruits secs non grillés à sec (amandes, noix, noisettes, noix de cajou, etc.), les figues, les bananes séchées.

MATIÈRES GRASSES

Autorisées : le beurre, la crème fraîche, les huiles (tournesol, olive, sésame, etc.), la Végétaline, la graisse d'oie, la margarine sans gluten.
Défendues : les margarines et autres préparations allégées qui contiennent de l'amidon ou d'autres liants.

PRODUITS SUCRÉS

Autorisés : les sucres de betterave ou de canne blanc ou roux, le sucre vanillé, les confitures, marmelades et gelées pur fruit et pur sucre, le miel, les glaces et sorbets maison, les bonbons et sucettes acidulées, le cacao pur, la crème caramel (lait, œufs, sucre), les crèmes maison ou industrielles à base de fécule de pommes de terre, de farine de maïs ou de crème de riz, les mousses au chocolat maison ou industrielles (chocolat, œufs, crème, sucre), les gâteaux et tartes maison préparés avec des produits sans gluten.
Défendus : certains sucres glace qui peuvent contenir de l'amidon, les chocolats en poudre qui contiennent du gluten, tous les gâteaux du pâtissier, industriels ou lorsque vous êtes invité, les confiseries et bonbons chocolatés (nougats, dragées, etc.), les cornets de glaces, les pâtes à tartes toutes prêtes, les glaces industrielles ou artisanales qui contiennent du gluten ou ses dérivés.

BOISSONS

Autorisées : les jus de fruits, le soda, le café, le thé, la chicorée, les infusions, le vin.
Défendues : toutes les bières.

CONDIMENTS ET AROMATES

Autorisés : les herbes fraîches, sèches ou surgelées pures, les épices pures, les poivres en grains.
Défendus : certaines moutardes, mayonnaises et épices mélangées qui peuvent contenir du gluten ou ses dérivés.

DIVERS

Autorisés : les pâtes à tarte maison, les sauces maison préparées avec des produits sans gluten (Maïzena, fécule de pommes de terre, etc.), les chips pures pommes de terre, la levure chimique, la levure du boulanger.
Défendus : tous les plats cuisinés et sauces du commerce qui contiennent du gluten et ses dérivés ou des additifs qui commencent par la lettre E suivie de trois chiffres.

MÉDICAMENTS

Défendus : les comprimés ou poudres contenant du gluten.

ADRESSES UTILES

Groupe d'étude et de recherche sur la maladie cœliaque

Tout sur l'intolérance au gluten : quels aliments éviter, par quoi les remplacer, comment les cuisiner, où trouver des produits sans gluten…

www.maladiecoeliaque.com

Association française des intolérants au gluten

Cette association propose un historique de la maladie, des recettes de cuisine simples, des articles concernant la recherche, une liste des fabricants et des distributeurs de produits sans gluten, etc.

www.afdiag.org

Fondation québécoise de la maladie cœliaque

Ce site québécois francophone propose de nombreuses informations sur l'intolérance au gluten, donne accès à un forum de discussion et délivre de précieux conseils pour faciliter la vie quotidienne des malades.

www.fqmc.org

TABLES DES MATIÈRES

Imprimé en Espagne par Liberduplex
Dépôt légal n° 83197 - Mars 2007
ISBN : 978-2-501-04342-7
40.9296.1/01